논·술·세·계·대·표·문·학

41

전쟁과 평화

레프 톨스토이 | 이세린 엮음

훈민출판사

젊은 시절의 톨스토이

보르지노의 전적지 - 〈전
평화〉의 배경이 된 곳이다.

The Best World Literature

집필 중인 톨스토이

톨스토이의 자필 원고

상트페테르부르크의 축제

러시아의 바이칼 호수

러시아의 아무르 강

〈전쟁과 평화〉를 썼던 톨스토이의 책상 – 보존을 위해 유리로 막아 놓았다.

The Best World Literature

영화 〈전쟁과 평화〉의 한 장면

러시아와 프랑스 군의 전투 장면

구인환(丘仁煥)

서울대학교 사범대학 졸업. 동 대학원 졸업(문학박사)
서울대학교 명예교수, 소설가(현). 서울대학교 사범대학 국어교육연구소 소장(현)
문학과문학교육연구소 소장(현). 국제펜 한국본부 부회장(현)
한국소설문학상(1987). 예술문화대상(1994). 한국문학상(2000)
작품 〈숨쉬는 영정〉, 〈살아 있는 날들〉, 〈일어서는 산〉 외 다수

- **저서** 《한국단편소설의 이해》, 《한국현대소설의 비평적 성찰》,
  《고교생이 알아야 할 소설》, 《고교생이 알아야 할 세계단편소설》 외 다수

윤병로(尹柄魯)

성균관대학교 국어국문학과 졸업. 동 대학원 졸업(문학박사)
성균관대학교 교수, 문학평론가(현). 한국현대소설학회장(현)
한국문예학술저작권협회 이사(현). 한국간행물윤리위원회 위원(현)
한국펜 문학상(1987). 한국문학상(1988). 대한민국문학상(1989)
수필집 《나의 작은 애인들》 외 다수

- **저서** 《현대 작가론》, 《한국 현대 소설의 탐구》,
  《한국 근대 작가 작품 연구》, 《한국 현대 작가의 문제작 평설》 외 다수

홍성암(洪性岩)

고려대학교 국어국문학과 졸업. 한양대학교 대학원 국어국문학과 졸업(문학박사)
동덕여자대학교 교수, 소설가(현). 한국문인협회 회원(현)
한국소설가협회 이사(현). 국제펜 한국본부 소설분과 이사(현). 한민족 문화학회 회장(현)
창작집 《큰 물로 가는 큰 고기》, 《어떤 귀향》 외
대하역사소설 《남한산성》 (전9권) 외 다수

- **저서** 《문학의 이해》, 《현대 작가론》, 《한국 근대 역사소설 연구》 외 다수

기
획
·
감
수

소피 마르소 주연으로 영화화된 〈안나 카레니나〉

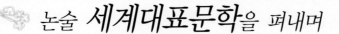

논술 *세계대표문학*을 펴내며

　21세기의 사회는 **'전자 문명 시대'**라 일컬어질 만큼 오늘날 전자 산업은 우리 생활의 거의 모든 분야에 다양하게 응용되고 있습니다. 출판 분야 또한 예외는 아니어서, 종래의 서책(Book) 대신에 이른바 '전자책(CD-ROM)'의 출간이 최근 들어 날로 증가하고 있습니다.

　그러나 이러한 전자책은 영상 또는 모니터상으로 흥미 위주나 백과사전식 지식을 습득하는 데는 효과적일지 모르지만, 문학 공부를 위해서는 별로 도움이 되지 않습니다. 바꾸어 말하면, 문학 공부는 각 지면마다 살아 숨쉬는 표현 하나하나를 독자 자신의 머리로 음미하면서 작품을 읽어 나가는 가운데, 풍부한 상상력의 배양과 함께 작가의 의도와 그 작품의 내면을 깊이 있게 이해함으로써 이루어지는 것입니다.

　이에 훈민출판사에서는, 자라나는 학생들이 범람하는 영상 매체에 길들여지기 전에, 어려서부터 유명한 세계문학 작품들을 책자를 통하여 감명 깊게 읽고 감상함으로써, 올바른 문학 공부의 기틀을 다지고, 아울러 전인 교육도 할 수 있도록 《논술 세계대표문학(전60권)》을 펴내게 되었습니다.

　작품 선정은, 초·중·고등학교 국어 교과서와 역사 교과서에 실리거나 소개된 문학 작품을 중심으로 하되, 그리스 신화와 성경 이야기 등의 고전에서부터 중세·근대·현대에 이르기까지 세르반테스·셰익스피어·톨스토이 등 세계 유명 작가들의 장·단편 소설들을 엄선·수록하였습니다. 또 세계의 명시도 별권으로 엮었으며, 특히 각 단락마다 **'논술 문제'**를 제시하여, 장차 대학입시를 비롯한 각종 '논술 고사'에 예비 지식을 쌓을 수 있도록 배려하였습니다. 아무쪼록, 이 《논술 세계대표문학(전60권)》이 자라나는 학생들에게 문학 공부의 주춧돌이 되고, 나아가 미래를 살아가는 데 **정신적 자양분**이 되기를 진심으로 바라 마지않습니다.

훈민출판사

차례

전쟁과 평화

톨스토이

지은이

1828~1910년. 러시아의 툴라 근방에서 출생. 주로 가정교사의 교육을 받다가 1844년 카잔 대학에 입학했지만 곧 학교를 그만두었다. 귀족이었던 그는 젊었을 때 상류 사회의 사교 클럽에서 시간을 보냈으나 곧 군에 입대하였다. 군대에서 쓴 처녀작 〈유년 시대〉를 익명으로 발표하여 문단의 시선을 끌었고, 이후 〈소년 시대〉, 〈세바스토폴 이야기〉를 발표하면서 작가로서의 지위를 확고하게 다졌다.

1862년 소피아 안드레예브나와 결혼한 뒤 문학에 더욱 정진하여 〈전쟁과 평화〉, 〈안나 카레니나〉, 〈참회록〉, 〈부활〉 등 많은 문학 작품과 사상서를 발표했다. 그러나 가정 생활의 불행과 모순을 견디다 못한 톨스토이는 1910년 집을 나왔다가 아스포보 역에서 82세의 나이로 세상을 떠나고 말았다.

전쟁과 평화

젊은 귀공자 안드레이

1805년 7월 무렵, 러시아의 수도 페테르부르크에서는 매일 밤 귀족들이 크고 작은 무도회를 열었다.

오늘은 안나 파블로브나의 저택에서 무도회가 열렸다. 그 곳에 초대받은 사람들은 모두 유명한 집안의 귀족들이었다. 안나는 사교계에서 널리 이름난 사람으로, 황태후의 사랑을 받고 있는 궁녀였다.

무도회에 참석한 사람들 중 유난히 눈에 띄는 젊은이가 있었다. 그는 볼콘스키 공작의 아들 안드레이였다. 그는 그다지 키가 크지 않았지만 얼굴이 무척 잘생긴 사람이었다. 그래서 한눈에 보기에도 호감을 느낄 수 있었다.

안드레이는 아내 리자와 함께 참석했다. 리자는 무도회에서 일어나는 모든 일에 관심을 갖고, 즐거워했다. 그렇지만 안드레이는 얼굴이 그리 밝지 않았고, 무도회 내내 시큰둥한 표정이었다. 그는 아마도 리자를 지겨워하는 것 같았다.

무도회가 끝난 후, 안드레이는 친구 피에르를 자기 집 서재로 데리고 가서 이야기를 나누었다. 안드레이보다 몇 살 아래인 피에르는 뚱뚱하고 모든 일에 서툴렀지만, 마음씨는 무척 선량했다.

피에르는 상트페테르부르크에서 손꼽히는 부자인 베즈호프 백작의 아

들이었다. 어려서부터 파리에서 공부하던 피에르는, 얼마 전에야 러시아로 돌아왔다.

그는 베즈호프 백작의 본부인에게서 태어난 아들은 아니었지만, 백작의 사랑을 듬뿍 받고 있었다.

안드레이가 피에르에게 말했다.

"피에르, 결혼 따위는 절대로 하지 말게. 자네니까 이런 충고를 한다는 걸 알아 두게. 결혼은 나이가 많이 들어서 하는 게 좋을 거야. 그렇지 않으면 자네는 나처럼 융통성도 없어지고, 정신 세계도 엉망이 되고 말 거야. 나는 벌써 무능한 노인이 된 기분이라고!"

그러자 피에르가 웃으며 말했다.

"농담 좀 그만 해! 자네 같은 사람이 무능하다니……. 자네는 훌륭해. 정말 훌륭하다고!"

"아니야, 나에게는 미래가 없어."

그렇게 말하는 안드레이의 얼굴에 모든 것을 체념한 듯한 노인의 미소가 떠올랐다. 안드레이는 군인이었지만, 강인한 체력을 가진 사람은 아니었다. 그리고 얼굴은 말쑥하게 잘생겼지만, 마음속에는 늘 불만이 가득 차 있었다.

그 해 1805년, 러시아는 오스트리아와 연합하여 나폴레옹이 이끄는 프랑스 군에 선전 포고를 했다. 그러자 안드레이는 기병 대령이 되어서 싸움터로 나가지 않으면 안 되었다.

그 때, 리자는 임신한 몸이었다. 그래서 안드레이는 자기가 없는 동안 리자를 시골 아버지 댁으로 보내기로 했다.

볼콘스키 공작은 이미 오래 전부터 바깥 세상과의 접촉을 끊고 있었다. 오직 안드레이의 누이동생 마리아만을 데리고, 자유로운 생활을 즐기고 있었던 것이다.

볼콘스키 공작은 상트페테르부르크의 다른 귀족들에게는 방해물 취급을 받았다. 애국심이 지나치게 강하고 깐깐한 성격이었기 때문이다. 결국 그는 권력과 명예를 한꺼번에 잃어버리고, 시골에 있는 영지로 쫓겨가야만 했다.

안드레이가 아버지의 저택을 찾은 지는 참 오랜만이었다. 집 안에서 언뜻 그의 눈에 띈 것은 응접실 벽에 걸려 있는 금테 액자였다. 그 액자에는 볼콘스키 가문의 가계보가 자세히 적혀 있었다. 그리고 그 맞은편 벽에는 오랜 선조로 보이는 사람의 초상화가 걸려 있었다.

'시골 화가에게 부탁해서 그리게 하셨나? 솜씨가 별로 좋지 않군.'

안드레이는 입을 비죽거리며 서 있었다. 그 때, 마리아가 응접실로 들어왔다.

"오빠, 뭘 보면서 웃고 계세요?"

"정말 아버지다운 취미라는 생각이 든다. 이런 그림을 응접실에 걸어 놓으시다니, 정말 못말려."

"어머, 아버지를 두고 그런 말씀을 하면 못써요."

"그러면 넌 이상하지도 않니? 아버지처럼 교양 있는 분이 이런 시시한 그림을 걸어 놓고 좋아하시다니 말이야."

그러자 마리아는 안드레이의 얼굴을 뚫어지게 쏘아보았다. 그녀는 오빠의 빈정거림에 찬성할 수 없었다.

마리아는 얼굴이 예쁘다고 할 수 없지만 마음씨가 곱고 따뜻한, 인정 많은 아가씨였다. 그녀는 상트페테르부르크나 모스크바의 귀족 아가씨들과는 달랐다. 그녀는 유행하는 옷을 입지도 않았고, 몰려다니며 쓸데없이 수다를 떠는 일도 없었다. 오로지 늙은 아버지의 시중을 들면서 하루하루를 보람 있게 보내고 있었다.

볼콘스키 공작은 유난히 마리아를 아꼈다. 그래서 가정 교사 대신 직접 공부를 가르치면서 마리아에게 사랑을 쏟아부었다.

마리아 또한 아버지는 세상에서 가장 존경스러운 사람이었다.

안드레이도 아버지를 싫어하는 것은 아니었다. 지나치게 완고한 것이 못마땅하기는 했지만, 그 역시 아버지가 인자하고 착하다는 것을 알고 있었기 때문에 아버지를 무척 사랑했다.

그리고 아버지 못지않게 누이동생 마리아도 사랑했다. 그렇지만 아내 리자와는 아무리 오랜 세월이 흘러도 마음을 터놓고 지낼 수가 없었다. 결혼만 했을 뿐 그들에게는 부부 사이의 애정을 찾아볼 수가 없었다.

그날 밤, 안드레이와 마리아는 오랫동안 이야기를 나누었다.

"오빠, 사람은 누구나 한두 가지의 단점을 가지고 있어요. 언니도 사람인데 완벽할 수 있겠어요? 오빠가 너그럽게 대해 주세요. 언니는 어려서부터 화려한 생활을 해 왔어요. 그래서 우리 집과는 맞지 않는 점이 있을지도 몰라요. 오빠가 전쟁터에 나가 있으면, 언니는 이 시골에서 쓸쓸하게 살아야 해요. 언니에게 시골 생활은 무척 힘들 거예요. 나는 그런 언니가 너무 가여워요."

가만히 있던 안드레이가 말했다.

"그렇지만 너는 이 시골에서 잘 지내고 있지 않니? 지겹고 따분한 시골 생활이 너는 싫지 않았니?"

"오빠, 나와 언니를 비교하지 마세요. 나는 시골 생활밖에 모르니까요. 화려한 도시 생활이나 사교계에 대해서도 알지 못하고 그런 생활을 동경하지도 않아요. 나는 그렇게 살 수도 없는 형편이잖아요."

"참으로 착한 마음을 가지고 있구나. 하지만 네가 이렇게 아버지의 시중을 들고 교회에 다니는 동안, 네 젊은 시절은 다 가 버리지 않겠니? 나는 그게 걱정이구나."

"아니에요. 나는 늘 하느님께 기도를 올리고 있으니까, 틀림없이 복을 내려 주실 거예요."

다음 날, 안드레이는 아버지, 누이동생, 아내와 작별하고 싸움터로 떠났다. 볼콘스키 공작은 쿠투조프 장군 앞으로 편지를 써서 안드레이에게 주었다.

지금은 이렇게 시골에 살고 있지만, 볼콘스키 공작은 한때 권세를 누리던 귀족이었다. 아버지의 편지 덕분에 안드레이는 러시아 최고의 지휘관인 쿠투조프 장군의 부관이 되었다.

그 해 11월 20일 경, 아우스터리츠에서 치열한 전투가 벌어졌다. 러시아와 오스트리아 연합군은, 프랑스 나폴레옹 장군의 공격을 받아 무너지고 말았다.

안드레이는 머리에 총을 맞고 프라첸 고지의 비탈에 쓰러지고 말았다. 손에는 깃대를 꼭 쥔 채…….

그 날 해질 무렵이었다. 어디선가 말발굽 소리가 들리더니 군복을 차려입은 나폴레옹이 나타났다. 그는 전사자와 부상자를 확인하기 위해서 직접 나왔던 것이다.

"훌륭한 죽음이군."

안드레이를 발견한 나폴레옹은 말을 멈춰 세웠다. 그리고 부관들과 뭐라고 소곤거렸다. 그렇지만 그 소리는 안드레이에게는 희미하게 들릴 뿐이었다.

안드레이의 눈에 파란 하늘이 보였다. 자연의 위대함에 비하면 나폴레옹의 당당한 모습도 아주 작게만 느껴졌다.

'나는 지금까지 참다운 인생이 무엇인지 알지 못한 채 살아왔다. 자연의 위대함도, 이 끔찍한 육체의 고통도…….'

그 순간 안드레이의 마음속에는 살고 싶다는 소망이 강하게 솟아났다. 그는 온 힘을 다해 몸을 움직여 보았다.

"이 젊은이는 아직 살아 있다! 어서 의무실로 옮겨라!"

안드레이의 움직임을 알아차린 나폴레옹이 소리를 질렀다. 안드레이는 곧 들것에 실려서 많은 부상자들이 누워 있는, 프랑스 군의 응급 치료소로 정해진 어느 농가의 방 안으로 옮겨졌다. 그래서 안드레이는 아우스터리츠 전투가 끝난 후에도, 전쟁 포로가 되어 러시아로 돌아갈 수 없었다.

러시아 군은 안드레이를 찾기 위해서 수색을 벌였지만 그를 찾을 수 없었다. 그리고 프랑스 군이 발표한 포로 명단에도 안드레이의 이름은 들어 있지 않았다. 결국 러시아 군은 안드레이가 전사했다고 발표할 수밖에 없었다.

다음 해 어느 날 밤, 볼콘스키 공작은 서재에서 편지를 읽고 있었다. 쿠투조프 장군이 보낸, 안드레이가 전사한 것 같다는 내용의 편지였다.

아침이 되자, 볼콘스키 공작은 마리아를 불렀다.

"마리아, 이 편지를 좀 보거라. 어디에서도 안드레이를 찾을 수가 없다는구나. 포로 명단에도 안드레이의 이름이 없고……. 아무래도 전사한 것 같구나."

볼콘스키 공작은 고개를 돌린 채 하염없이 눈물을 흘리고 있었다.

"아버지, 그럴 리가 없어요!"

"바보 같은 놈들! 싸움에서도 지고, 부하까지도 죽게 내버려두다니! 마리아, 리자에게 가서 이 소식을 알리도록 해라."

마리아는 아버지와 함께 슬프게 울다가 리자에게로 갔다.

리자는 평화롭게 앉아서 일을 하고 있었다. 그녀의 얼굴에는 행복이 넘쳐흘렀다. 곧 엄마가 될 여자만이 가질 수 있는 행복이었다.

"마리아, 이리 좀 와 봐요. 여기에 손을 대어 보세요."

리자는 자신의 배 위에 마리아의 손을 올려놓았다.

"아기가 움직이는 게 느껴지지요? 난 아기가 태어나면 그 누구보다도 이 아기를 사랑할 거예요."

리자의 행복한 표정을 보자, 마리아는 안드레이의 전사 소식을 전할 수 없었다. 그녀는 그저 눈물만 흘릴 뿐이었다.

"마리아, 왜 울어요? 혹시 안드레이에게 무슨 일이라도 생겼나요?"

"아니에요, 그냥 걱정이 되어서 그래요."

마리아는 리자를 바라보며 굳게 결심했다. 아기가 태어나는 그 날까지만이라도 안드레이의 소식을 알리지 않겠다고……

몇 달 후, 리자에게 진통이 찾아왔다. 마리아는 고통스러워하는 리자의 손을 잡고 의사를 기다렸다. 그렇지만 날이 어두워지도록 의사는 도착하지 않았다.

바깥을 살피던 마리아는 누군가가 집 쪽으로 오고 있는 것을 보았다.

'의사 선생님이 이제야 오시는 건가?'

마리아는 현관으로 손님을 맞으러 나갔다. 계단을 올라오는 소리와 말소리가 들렸다. 그것은 분명 안드레이의 목소리였다. 그리고 그와 함께 의사도 도착했다.

안드레이는 아내의 방으로 갔다. 리자는 몹시 아파하며 안드레이를 올려다보았다.

"리자, 그 동안 많이 보고 싶었소."

리자는 남편에게 하고 싶은 말이 많았지만, 심한 진통 때문에 아무 말도 할 수 없었다. 안드레이는 아내가 무사하기를 바라며 옆방으로 갔다. 얼마 후, 아기의 울음소리가 들려왔다.

그리고 의사가 얼굴 근육을 떨며 방 밖으로 나왔다. 안드레이는 뭔가 불길한 예감이 들어 아내의 방으로 뛰어들어갔다. 그러나 리자는 이미 저 세상으로 떠난 후였다.

사흘 뒤, 리자의 장례식이 열렸다. 안드레이는 슬픔에 잠겨 아내의 마지막 모습을 바라보았다.

"오빠, 언니는 나쁜 사람이 아니었어요. 얌전한 시골 아가씨 같았고, 지나칠 정도로 순진했어요. 그 모습이 오빠에게는 불만이었을지도 몰라요. 언니는 시골 생활을 꾹 참으며 오빠가 돌아올 날을 기다렸어요."

마리아가 눈물을 흘리며 말했다.

나타샤와의 만남

1809년 봄, 안드레이는 볼일이 생겨서 로스토프 백작 댁을 방문하게 되었다. 봄이라고 해도 여름처럼 푹푹 찌는 더운 날씨였다. 마차가 지나갈 때면 모래먼지가 자욱하게 일었고, 강가를 지나갈 때면 물을 끼얹으며 미역이라도 감고 싶을 만큼 무더웠다.

안드레이는 울창한 가로수길을 따라서 마차를 몰고 가고 있었다. 그때, 오른쪽 나무숲에서 웃음소리가 들리더니 여러 명의 소녀들이 나타났다.

그 중 한 소녀가 마차를 가로질러 가려는 듯이 가까이 다가왔다. 소녀는 머리카락과 눈이 유난히도 까맣게 빛났으며 노란 비단옷을 입고, 하얀 손수건으로 머리를 묶고 있었다.

"어머! 낯선 사람이야!"

마차를 타고 있는 사람이 낯선 사람이라는 것을 알게 되자, 소녀는 걸음을 멈추고 얼굴을 돌렸다. 그리고 다른 소녀들과 함께 왁자지껄하게 호들갑을 떨며 오던 길을 되돌아갔다.

소녀들의 웃음소리가 멀어지자, 안드레이는 갑자기 우울해졌다. 하늘이 파랗게 갠 화창한 날씨였고 태양은 눈부시게 빛을 내뿜고 있었다. 그렇지만 안드레이는 쓸쓸한 기분을 느꼈다.

'저 소녀는 나를 알지 못하고, 알려고도 하지 않겠지. 같은 하늘 아래에서 서로 다른 삶을 살고 있는 거야. 게다가 저 소녀는 자기만의 세계에 빠져서 즐겁게 살고 있어.'

안드레이가 이런저런 생각에 빠져 있는 사이, 마차는 로스토프 백작의 영지로 들어서고 있었다.

로스토프 백작은 안드레이의 아버지 볼콘스키 공작과는 매우 다른 사람이었다. 그는 사람 사귀는 것을 매우 좋아했으며, 무척 쾌활한 사람이었다.

로스토프 백작은 상트페테르부르크와 모스크바의 교외에도 별장을 가지고 있었지만, 지금은 이렇게 시골에 내려와서 연회를 열기도 하고, 사냥을 하기도 하면서 이 곳 사람들과 어울려 살고 있었다. 안드레이가 도착하자, 로스토프 백작은 연회를 열어서 안드레이를 환영해 주었다.

연회가 열리기 전, 로스토프 백작은 안드레이에게 딸을 소개했다.

"내 딸 나타샤입니다."

그녀는 낮에 가로수길에서 만났던 그 소녀였다. 나타샤는 귀찮다는 듯이 인사를 하고는 젊은 사람들이 모여 있는 쪽으로 가 버렸다.

로스토프 백작은 다른 소녀를 소개했다.

"이 아이는 내 친척의 딸 소냐라고 합니다. 사정이 있어서 우리 집에서 지내고 있지요."

소냐는 나타샤와 비슷한 또래로 몸집이 작고 피부는 거무스름했다. 안드레이는 자꾸만 웃고 떠들고 있는 나타샤를 훔쳐보았다.

'무엇이 저렇게도 즐거울까? 무슨 생각을 하며 지낼까?'

밤이 되었지만, 안드레이는 쉽게 잠을 이룰 수가 없었다. 낯선 곳이라는 것과 무더위 때문만은 아니었다.

안드레이는 벌떡 일어나 창문을 열었다. 그러자 기다렸다는 듯이 달빛이 쏟아져 들어왔다. 창문 앞에 펼쳐진 정원은 달빛을 받아 반짝반짝 빛나고 있었다. 안드레이의 방은 2층에 있었는데, 위층에서 소녀들의 재잘거리는 소리가 들려왔다.

"소냐, 또 노래 부를까?"

그 목소리의 주인공은 바로 나타샤였다.

"벌써 늦었는데 언제 자려고 그래?"

소냐는 난처하다는 듯이 말했다.

"잠이 안 온단 말이야. 딱 한 번만 부르고 자자."

그리고 두 소녀의 노랫소리가 들려왔다.

"자, 이제 됐지? 어서 자자."

"너 혼자 자. 난 아직도 잠이 안 와."

갑자기 나타샤의 목소리가 가깝게 들렸다. 아마 창문 밖으로 몸을 쑥 빼고 있는 것 같았다. 안드레이는 자신이 일어나 있다는 것을 눈치채지 못하도록 꼼짝도 하지 않고 있었다.

"소냐, 이것 좀 봐! 어쩌면 이렇게 예쁠까?"

나타샤가 들떠서 말했지만, 소냐는 잠을 자고 싶을 뿐이었다.

"소냐, 너는 매일 내 공상을 방해만 한다니까! 하지만 이제는 괜찮아."

나타샤는 창문을 꽝 닫아 버렸다.

다음 날 아침 일찍, 안드레이는 로스토프 백작에게만 작별 인사를 하고 두 소녀들이 일어나기도 전에 길을 나섰다.

안드레이를 태운 마차는 울창한 숲길로 들어섰다. 그 길은 안드레이가 모스크바와 상트페테르부르크를 오갈 때마다 지나는 길이었다.

'그래, 이 숲에 내가 좋아하는 떡갈나무가 있었어.'

안드레이는 이리저리 살펴보며 길을 갔다. 얼마쯤 가자 자작나무와 전나무 사이에 있는 커다란 떡갈나무를 발견할 수 있었다. 정다운 떡갈나무는 푸르른 가지를 펼치고 햇살을 받으며 조용히 서 있었다.

그 떡갈나무에서는 거칠고 울퉁불퉁한 손가락, 윤기 없는 피부, 노인 같은 의심이나 슬픔은 찾아볼 수가 없었다. 그 나무는 백 년이나 묵은 딱딱한 껍질 속에서도 싱싱한 어린 잎을 피워 내고 있었다.

그 어린 잎을 보자, 안드레이의 가슴속에서는 무엇인가 뭉클한 것이 솟아올랐다.

'이 나무는 언제나 무뚝뚝했어. 어린 나무와 꽃을 쏘아보며 온 세상의 일을 잘 알고 있는 듯한 표정을 짓곤 했지. 나는 그런 점이 마음에 들었었어.'

그런데 안드레이의 마음속에 기쁨이 찾아왔다. 떡갈나무가 어린 잎을 피워 내듯이 닫혀 있던 안드레이의 마음에도 싱그러운 봄기운이 찾아오고 있었다.

"나는 이제 서른한 살이야. 그래, 내 인생은 이제부터 시작이야!"

안드레이는 큰 소리로 외치며 숲을 빠져 나왔다.

'그렇지만 내 인생을 나 혼자만 알고 있어서는 안 돼. 모든 사람이 이해해 주어야 해.'

상트페테르부르크에서의 무도회

1809년 8월, 안드레이는 상트페테르부르크의 집으로 돌아왔다. 그 무렵, 러시아는 프랑스와 강화를 맺고 있었다. 그래서 알렉산드르 황제와 나폴레옹의 관계는 아주 친밀했다.

얼마 후, 로스토프 백작도 시골 생활을 정리하고 가족들과 함께 상트페테르부르크로 돌아왔다. 로스토프 백작의 집안 형편은 점점 어려워지고 있었다. 그래서 2년 동안 시골에 내려가서 살았던 거지만, 조금도 나아지는 것이 없었다. 놀기 좋아하고 낭비가 심한 백작의 버릇이 고쳐지지 않았기 때문이었다.

그런데 로스토프 백작 부인도 사치와 호화스러운 생활을 좋아했다. 그녀는, 돈 같은 건 집사에게 명령만 하면 언제든지 생기는 것이라고 굳게 믿고 있는 것 같았다.

로스토프 백작 부인이 마음을 쓰는 것은, 아들과 딸들을 위한 일이었다. 그녀의 관심은 온통, 아들과 딸들이 상트페테르부르크의 상류 사회에서 돈 많고 성격 좋은 아내나 남편을 맞이하는 것에 쏠려 있었다.

시집갈 나이가 된 큰딸 베라, 점점 아름다워지는 둘째 딸 나타샤, 그리고 군대에 간 큰아들 니콜라이, 거기다 아직은 어린 막내아들 페차도 있었다.

니콜라이는 자유로운 집안에서 자란 젊은이답게 좋은 점이 많았다. 그리고 얼굴도 무척 잘생겨서 많은 아가씨들의 가슴을 설레게 했다. 하지만 니콜라이의 관심은 오직 군대 생활뿐이었다.

둘째 딸 나타샤는 집 안에 드나드는 젊은이들 중 어릴 적 소꿉친구이며 사촌인 보리스와 가깝게 지내고 있었다. 두 사람은 첫사랑의 사이로까지 발전했지만, 막상 결혼 문제에 이르고 보니 쉽지 않았다.

보리스는 특별히 돈이 많은 부자도 아니었고, 아버지도 없었다. 그러므로 로스토프 백작 부인이 꿈꾸던 사윗감은 아니었다. 보리스에게도 나타샤는 이상적인 신부감은 아니었다. 그는 상트페테르부르크에서 가장 부유한 집안의 아가씨를 아내로 맞을 생각이었다.

그 해의 마지막 날, 어느 귀족의 저택에서 성대한 무도회가 열렸다. 황제와 황후도 참석하는 대단한 자리였다. 초대를 받은 로스토프 백작의 가족들은, 아침부터 준비를 하느라 몹시 분주했다.

나타샤는 이렇게 큰 무도회에 초대를 받은 것이 처음이었다. 그녀는 아침 일찍 일어나서 가족들의 옷단장을 챙겨 주느라 정신이 없었다.

얼마 전에 언니 베라가 베르크라는 청년과 결혼했기 때문에, 이제는 그녀가 신경써야 할 일이 많았다.

로스토프 백작 부인은 붉은빛이 도는 갈색 비로드 드레스를, 나타샤와 소냐는 장미꽃 무늬를 수놓은 핑크색 비단 치마와 새하얀 윗옷을 입었다. 준비는 거의 다 되었다. 목과 귀, 손과 발에도 향수를 뿌리고 가루분으로 마지막 손질을 했다.

백작 부인과 소냐의 단장이 끝나자, 나타샤는 그제야 옷을 입기 시작했다. 야단법석을 떨며 나타샤도 곧 준비를 끝마쳤다.

밤이 되자, 백작의 가족은 무도회가 열리는 저택으로 갔다. 현관에서 모피 코트를 벗은 나타샤와 소냐는 백작 부인 옆에 섰다. 불빛이 비치는 계단의 꽃 사이를 지날 때, 나타샤는 그 동안의 일을 생각해 보았다.

'내가 이렇게 큰 무도회에 오다니……. 얌전하게 행동해야겠다.'

이런 생각을 하자, 나타샤는 갑자기 가슴이 콩닥거리고 눈앞이 흐려졌다. 그러나 그녀는 태연한 척 천천히 걸었다.

주위에서는 무도회에 초대받은 손님들이 두세 명씩 짝을 지어 이야기를 나누고 있었다. 계단 여기저기에 걸려 있는 거울은, 아름다운 보석으로 치장을 하고 화려한 드레스를 입은 그들의 모습을 비추고 있었다.

나타샤는 거울을 들여다보았지만, 자신의 모습을 찾을 수 없었다. 모든 것이 반짝거리며 뒤엉켜 비춰지고 있었기 때문이었다.

초대받은 사람들은 상트페테르부르크의 대표적인 귀족들이었다. 그렇지만 그들 중에서 나타샤가 아는 사람은 겨우 몇 사람밖에 되지 않았다.

"어머, 피에르!"

나타샤는 아는 사람을 발견하고 반가운 미소를 지었다. 그녀의 집에 드나드는 사람들 중에서 가장 마음씨가 좋고, 친근감을 주는 사람이었다. 피에르는 아버지 베즈호프 백작이 세상을 떠나자 막대한 유산을 상속받았다. 그래서 그는 상트페테르부르크 제일의 부자가 되었다. 그리고 쿠라긴 공작의 딸 엘렌과 결혼했지만, 그것은 억지로 한 결혼이었다.

피에르는 사람들 사이를 돌아다니며 누군가를 찾고 있었다. 나타샤에게 파트너를 찾아 주겠다고 약속했던 것이다.

얼마 후, 나타샤는 피에르가 어떤 젊은 남자와 이야기를 나누는 것을 보게 되었다. 나타샤는 한눈에 그가 누구인지 알 수 있었다. 그는 바로 안드레이였다. 나타샤는 그가 전에 만났을 때보다 훨씬 더 멋있어 보였다.

'피에르와 가깝게 지내는 분이라는 이야기를 들은 적이 있어.'

나타샤가 그를 보고 있는데, 갑자기 음악 소리가 울려 퍼지면서 황제와 황후가 들어왔다.

곧 폴란드의 가곡이 연주되고, 귀부인들은 파트너를 찾아서 춤을 추기 시작했다. 파트너를 만나지 못한 귀부인들은 벽 쪽에 서 있었다. 그 중에는 로스토프 백작 댁의 세 사람도 끼여 있었다.

나타샤는 앞을 뚫어지도록 바라보았다. 그녀에게는 황제도, 황후도,

귀족들도 눈에 들어오지 않았다. 오직 한 가지 생각뿐이었다.

'왜 나에게 춤을 추자고 신청하는 사람이 없을까? 정말 엉터리야! 왜 여기 있는 사람들은 나를 인정해 주지 않을까?'

나타샤의 눈에서는 왈칵 눈물이 쏟아질 것만 같았다. 쿠라긴 공작의 아들 아나톨리가 춤을 추며 지나갔다. 아나톨리는 나타샤가 있는 쪽을 힐끗 보기는 했지만, 애정이 담긴 눈빛은 아니었다. 뒤이어 보리스도 다가왔지만, 나타샤의 앞에 오자 그는 얼굴을 돌려 버리고 말았다.

나타샤는 눈가를 손수건으로 꾹꾹 누르며 서 있었다. 그런데 그 때, 군복을 입은 안드레이가 다가왔다.

"저, 제발 우리 딸을 좀 소개해 줘요."

나타샤의 어머니가 부끄러움을 무릅쓰고 말했다. 함께 춤을 출 파트너를 소개해 달라는 뜻이었다.

"저는 이미 따님과 아는 사이랍니다. 따님은 저를 잊었는지 모르지만……."

안드레이는 미소를 머금고 나타샤에게 다가가, 춤을 신청하고는 허리를 감싸안았다.

왈츠곡이 시작되었다. 나타샤는 하늘을 나는 것 같은 멍한 기분으로 춤을 추었다. 그녀의 두 뺨은 기쁨으로 사과처럼 붉어졌다.

'나는 당신만을 기다리고 있었던 거예요.'

나타샤는 자신이 정말로 안드레이를 기다리고 있었던 것처럼 생각되었다. 왈츠가 끝난 후, 두 사람은 밝고 경쾌한 코티용이라는 춤을 추었다. 코티용은 여러 사람들이 짝을 바꾸어 가면서 추는 춤이었다. 안드레이는 무척 능숙하게 춤을 추었다. 나타샤 역시 망설임이 없었다.

안드레이는 나타샤에게 가로수길에서 처음 만났을 때의 일과, 잠을 이루지 못했던 밤의 일을 이야기했다.

"나타샤, 그 때 당신은 바로 위층에서 노래를 불렀는데, 기억해요?"

"그럼 우리들이 한 얘기며 노래를 모두 들었겠군요?"

나타샤는 얼굴을 붉혔다.

"그 날은 웬일인지 잠이 잘 오지 않아서 노래를 불렀던 거예요. 별로 다른 생각은 없었어요."

안드레이는 너그럽게 미소를 지으며 나타샤를 바라보았다.

요란한 사교계에서 수줍어하기만 하는 나타샤의 모습은, 안드레이에게는 무척 신선하게 다가왔다. 그녀의 놀란 표정, 어색하고 서먹서먹해하는 태도, 러시아의 상류 사회에서는 즐겨 사용되는 프랑스 어를 어색하게 발음하는 것조차도 안드레이에게는 크나큰 매력이었다.

코티용이 끝난 후, 나타샤는 밤참을 가지러 가다가 우울한 표정으로 서 있는 피에르를 발견했다.

피에르는 아내 때문에 속이 상해 있었다. 그의 아내 엘렌은 뛰어난 친정 가문과 아름다움을 내세워, 사교계에서 지각없는 행동을 하고 다녔다. 철없는 젊은이들이 그녀를 최고라고 추켜올려 주면 우쭐거리며 좋아했다. 그런 아내의 모습에 피에르는 점점 실망했다.

"피에르, 아주 멋진 무도회예요."

나타샤는 나긋나긋한 목소리로 말했다.

"네, 그렇군요."

피에르는 건성으로 대답했다.

'피에르는 왜 저렇게 찡그리고 있을까? 마음씨 좋기로 소문난 분인데…….'

나타샤는 피에르가 이상하게 생각되었다. 오늘 밤 그녀의 눈에는 모든 사람이 다정하고, 선량하며, 친밀하게 보였던 것이다.

아마도 그녀 자신이 너무나 행복했기 때문일 것이다.

안드레이와 나타샤

다음 날, 안드레이는 상트페테르부르크에 온 후 인사를 드리지 못했던 친척들의 집을 방문했다. 그러던 중 로스토프 백작의 집에도 들르게 되었다. 무도회장이 아닌 곳에서 나타샤의 모습을 보고 싶었던 것이다.

나타샤는 깜짝 놀라서 안드레이를 맞았다. 그녀는 수수한 하늘색 드레스를 입고 있었다. 그렇지만 안드레이는 무도회장에서 봤을 때보다 지금이 훨씬 더 아름답다고 생각했다.

로스토프 백작은 원래 손님이 오는 것을 좋아하지 않았는데, 안드레이에게는 따뜻하게 대해 주었다. 안드레이는 소문만 듣고 로스토프 백작이 허풍만 떠는 무능한 귀족이라고 생각했는데, 알고 보니 교양이 풍부하고 인품이 훌륭했다.

'이 집안 사람들은 나타샤의 가치를 모르고 있어. 그렇지만 그녀의 낭만적이고도 생명력이 넘치는 모습에 썩 어울리는 분위기야.'

안드레이는 시골 가로수길에서 그녀를 처음 만났던 날을 떠올렸다. 그 때 이미 나타샤의 마음속에 기쁨과 즐거움이 충만해 있다는 것을 느꼈던 것이다.

저녁식사 후, 안드레이는 나타샤에게 노래를 불러 달라고 했다. 나타샤의 노래를 듣던 안드레이의 두 눈에서 눈물방울이 뚝 떨어졌다. 기쁨과 슬픔이 뒤섞여 있었다. 안드레이는 자신이 나타샤를 사랑하고 있다는 걸 깨달았다. 그 순간 자신의 삶이 밝은 빛으로 가득 차는 것 같았다.

며칠 후, 안드레이는 베르크 대령의 초대를 받아서 가게 되었다. 베르크 대령은 나타샤의 언니 베라의 남편이었다.

트럼프놀이가 시작되자 피에르는, 맞은편에 앉아 있는 나타샤의 모습이 평소와 다르다는 것을 깨달았다.

'나타샤에게 무슨 일이라도 있는 건가?'

피에르는 나타샤를 가만히 훔쳐보았다. 그 때, 안드레이가 나타샤의 곁으로 가서 정답게 이야기를 하기 시작했다. 그러자 나타샤의 얼굴이 새빨개지면서 전과 같은 생기를 되찾았다.

이번에는 안드레이가 피에르 쪽으로 왔다. 안드레이의 얼굴에도 밝은 웃음이 피어나고 있었다.

'아, 두 사람 사이에 무언가 중요한 일이 일어나고 있구나.'

피에르는 두 사람의 표정을 떠올리며 빙그레 웃었다.

다음 날, 안드레이는 로스토프 백작의 집을 방문하게 되었다. 그는 하루 종일 나타샤와 이야기를 나누었다. 그는 뭔가 할말이 있는 것같이 보였지만 아무 말도 하지 않고 돌아갔다.

'분명히 무슨 중요한 이야기를 하러 오신 것 같은데······.'

나타샤는 불안한 마음이 들었다. 그것은 백작 부인도 마찬가지였다.

"공작을 어떻게 생각하고 있니?"

"네? 이런 마음은 처음이에요. 그분 옆에 있으면 무서운 기분이 들어요. 왜 그럴까요?"

"그건 우리도 마찬가지란다."

"어머니, 이런 기분은 정말 처음이에요."

나타샤는 시골 집에서 만난 이후로 안드레이를 다시 만나지 않았더라면 어떻게 됐을까 하고 생각해 보았다. 그렇지만 무도회에서 또 만나게 되었다는 것은 운명일지도 모른다. 그녀는 처음부터 이렇게 될 운명이었다고 생각했다.

"어머니, 그분은 한 번 결혼한 적이 있기 때문에 걱정하고 있을지도 몰라요. 이미 지나간 일은 상관없지요?"

"나타샤, 결혼이라는 것은 하느님의 뜻에 달린 거란다. 그러니까 기도를 올리고 잠을 자도록 해."

그날 밤, 피에르의 저택에서는 엘렌이 파티를 열고 있었다. 안드레이는 로스토프 백작 댁을 나와서 그길로 피에르의 저택으로 갔다.

파티는 계속됐지만, 피에르는 신경도 쓰지 않은 채 서재에 들어가 있었다. 그는 담배 연기를 내뿜으면서 팸플렛 원고를 쓰고 있었다. 그는 프리메이슨이라는 종교적 비밀 결사에 가입해서 활동하고 있었다. 그 이유 중 하나는 엘렌과의 사이가 좋지 않아서 가정 생활에 관심이 없다는 데 있었다.

피에르는 사회 사업에 아낌없이 돈을 내놓기도 했다. 베즈호프 백작의 재산은 피에르가 별로 바라지도 않았는데 상속되었고, 그 재산은 엘렌의 낭비 때문에 사라지고 있었다. 피에르의 기부금은 자선 병원이나 빈민들을 위한 식당에 쓰여졌다.

안드레이가 서재 안으로 들어오자, 피에르는 낮은 목소리로 중얼거렸다.

"난 지금 일하고 있는데……."

그러나 안드레이는 상관하지 않고 소파에 앉았다.

"자네에게 하고 싶은 이야기가 있어서 찾아왔어."

"무슨 이야기인데?"

안드레이는 나타샤에 관한 이야기를 모두 털어놓았다.

"나타샤가 나를 좋아해 줄까?"

"나타샤는 자네를 사랑하고 있어. 그러니까 조금도 망설일 필요가 없

다고! 그녀와 결혼하게. 그러면 자네는 행복해질 거야.”

“정말 그녀가 날 사랑하고 있을까?”

“그렇다니까! 나는 분명히 알 수 있었어.”

“내가 나쁜 건 아니겠지?”

“그렇고말고! 지금 나는 자네만큼이나 기쁘다네.”

피에르는 안드레이의 손을 꼭 잡았다. 그에게 안드레이의 미래는 밝은 빛의 세계였다. 친구의 미래가 밝아 보일수록 자신은 어둠 속에 빠진 것 같았다. 사랑이 식어 버린 아내와 그 미래를 헤쳐 나가야 하기 때문이었다.

볼콘스키 공작의 반대

다음 날, 안드레이는 아버지가 계신 시골로 떠났다. 결혼 승낙을 받기 위해서였다. 나타샤에 대한 이야기를 들은 볼콘스키 공작은, 몹시 못마땅한 얼굴을 했다.

“안드레이, 잘 생각해 보거라. 결혼이라는 것은 깊이 생각해야 하는 문제야. 그 아가씨와 너는 어울리지 않아. 집안도, 재산도, 지위도 너보다 못하지 않니? 게다가 나이 차이도 많이 나고, 너에겐 리자가 낳은 니콜렌카까지 있잖아. 그리고 너는 건강도 좋은 편이 아니고…….”

볼콘스키 공작은 골똘히 생각하다가 말했다.

“안드레이, 너에게 부탁이 있는데 들어주겠니? 결혼은 1년쯤 뒤에 생각하도록 해라. 먼저 네가 하고 싶어했던 외국 여행을 떠나거라. 건강을 위해서도 그렇게 하는 것이 좋을 거야. 그리고 니콜렌카를 위해서 독일인 가정 교사를 구해 오도록 해라. 1년이 지난 후에도 네 마음에 변함이 없다면, 그 때는 결혼해도 좋다.”

3주 후, 안드레이는 상트페테르부르크로 돌아왔다. 안드레이가 시골에 간 사실을 몰랐던 나타샤는 몹시 불안해하면서 그를 기다렸다. 그녀는 외출도 하지 않고 집에만 틀어박혀 있었다. 아무도 없는 밤이면 혼자 울기도 했다.

그러던 어느 날,

"계십니까?"

하는 소리가 들려왔다.

방 안에서 거울을 보고 있던 나타샤는 금방 얼굴이 새하얗게 질렸다. 안드레이의 목소리였기 때문이다. 그녀는 응접실로 달려갔다.

"어머니, 무서워요. 무서워요."

백작 부인이 무슨 말을 할 새도 없이 안드레이의 발소리가 복도에서 들려왔다. 그러자 나타샤는 재빨리 제 방으로 달려갔다.

백작 부인이 안드레이에게 말했다.

"오랜만에 오셨군요."

"네, 아버지께 다녀왔습니다. 의논드릴 일이 있어서……."

"무슨 일이지요?"

"부인, 따님께 청혼하려고 합니다. 허락해 주시겠습니까?"

"허락하겠어요. 그렇지만 아버님께서는 뭐라고 하시는지요?"

"아버지께서는 1년 후에 결혼하라고 하셨습니다."

"그래요? 나타샤가 어리긴 하지만, 1년은 너무 길어요."

"더 이상은 저도 어쩔 수가 없었습니다."

백작 부인은 나타샤에게로 갔다.

"어머니, 그분이 뭐라고 하세요?"

"나타샤, 너에게 청혼을 했단다. 어서 가 보아라."

나타샤는 자기가 어떻게 응접실까지 갔는지 모를 정도로 떨고 있었다. 하지만 응접실 입구에서 그를 봤을 때, 나타샤는 안드레이가 이 세상에서 가장 소중한 사람으로 생각되었다.

안드레이가 나타샤에게 다가오자, 그녀는 손을 내밀었다. 그러자 안드레이는 손에 키스를 하며 말했다.

"나타샤, 나와 결혼해 주시겠습니까?"

"네, 네."

안드레이를 바라보던 나타샤는 울음을 터뜨리고 말았다.

"나타샤, 왜 그래요? 뭐가 그렇게 슬픕니까?"

"아니에요. 너무나 행복해서 그래요."

나타샤는 눈물을 닦고 미소를 지었다. 안드레이는 나타샤의 손을 꼭 잡았다. 그러자 그의 마음속에서는 커다란 변화가 일어났다. 이제까지는 나타샤의 낭만적인 모습이 그를 사로잡았지만, 그것은 여자다운 천진함으로 바뀌었다. 그 천진한 모습을 보니 나타샤가 불쌍하고 가련하게 여겨졌다.

그리고 나타샤가 자신을 믿고 기대는 것이 어쩐지 괴로웠다. 그렇지만 두 사람의 사랑을 이루기 위해서는, 그 괴로움을 이겨 내야 한다는 의지도 생겼다.

안드레이의 마음속에서는 이 두 가지 감정이 얽히고 있었다. 이 복잡한 감정은 안드레이에게 책임감을 주었다.

"나타샤, 우리의 결혼은 1년 뒤로 미루었으면 합니다. 사정이 좀 있어요. 그렇지만 어떻게 보면 그 1년은 당신의 마음을 시험해 볼 수 있는 시간이 될 수도 있어요. 1년 동안 자유롭게 우리의 결혼에 대해서 생각해 주세요. 1년 후에는 나에게 행복을 안겨 주시겠지요? 그 때까지 당신은 자유입니다. 우리의 결혼은 비밀로 하기로 합시다. 만약에 당신의 마음이 변한다면⋯⋯."

"안드레이, 그런 말씀은 하지 마세요. 저는 당신을 처음 보았을 때부터 사랑하고 있었어요."

"1년, 1년만 지나면 모든 것이 결정될 것입니다!"

안드레이는 사정을 설명하기 시작했다. 그러나 나타샤는 그런 안드레이가 원망스러웠다.

"1년이라니, 그렇게 오래 기다리다가는 난 아마 죽고 말 거예요."

나타샤는 눈물을 흘리며 말했다. 그러나 금방 눈물을 멈추고, 안드레이에게 말했다.

"미안해요. 잘 참을 수 있어요. 지금 너무나 행복한걸요."

그 때, 로스토프 백작 부부가 응접실로 들어와 두 사람을 축복해 주었다.

외국으로 떠나기 전, 안드레이는 피에르를 데리고 나타샤를 만나러 왔다. 피에르는 조용히 백작 부인과 이야기를 나누고 있었다.

나타샤는 소냐와 이야기를 나누며, 안드레이가 옆으로 오기를 기다렸다. 곧 안드레이가 나타샤에게 다가왔다.

"피에르와는 친한 사이였더군요."

"네."

"피에르가 마음에 드십니까?"

"피에르는 욕심이 없고 마음씨가 참 좋은 분 같아요. 그런데 어딘지 모르게 우스꽝스러운 점도 있어요."

나타샤는 킥킥거리며 대답했다.

나타샤의 말은 사실이었다. 피에르는 몸집은 크지만 용기가 없었고, 그래서 그의 행동은 어색하고 자연스럽지 못했다. 그래서 피에르가 진지하게 생각하고 있는 것도, 남이 보기에는 매우 우스꽝스럽게 보이곤 했던 것이다.

그러나 피에르는 욕심이 없는 젊은이임에는 틀림이 없었다. 피에르의 아버지 베즈호프 백작이 세상을 떠날 때였다. 피에르는 아버지를 찾아가려고 했지만, 친척 중의 한 사람인 쿠라긴 공작이 방해를 했다. 피에르가 본부인의 자식이 아니라는 이유 때문이었다. 그러나 귀족의 미망인인 보리스 어머니의 도움을 받아, 죽어가는 아버지를 만날 수 있었다. 그 덕분에 피에르는 어마어마한 재산을 물려받을 수 있었다.

"사실은 피에르에게 우리의 비밀을 털어놓았어요."

"정말이요?"

안드레이의 말을 듣고 나타샤는 무척 놀랐다. 다른 사람에게는 비밀로 하기로 했었기 때문이었다. 그런 나타샤를 보며 안드레이가 말했다.

"나와 피에르는 어릴 적부터 잘 알고 지냈어요. 그는 정말 아름다운 마음을 가지고 있어요. 그래서 말인데……, 나는 내일 떠나면 1년 동안 돌아오지 않을 거예요. 앞으로 어떤 일이 생길지는 오직 하느님만이 아실 거예요. 내가 떠난 후, 만약 무슨 일이 생기면……."

"안드레이, 그게 무슨 말씀이세요? 대체 무슨 일이 일어난다는 거예요? 그런 말씀은 하지 마세요. 전 벌써 무서워지는걸요."

"나타샤, 꼭 어떤 일이 일어난다는 건 아니에요. 그저 만약에 무슨 일이 일어난다면, 나타샤! 제발 피에르와 의논해 주세요. 그리고 그의 의견에 따라 주세요. 피에르는 믿을 만한 사람입니다. 당신에게 힘을 줄 수 있을 거예요."

나타샤는 두려웠지만 안드레이의 말에 따르기로 했다.

얼마 후, 마리아는 오빠 안드레이에게서 편지를 받았다. 나타샤와 무슨 일이 있어도 결혼하겠다는 내용이었다. 마리아는 그 편지를 아버지 볼콘스키 공작에게 보여 주었다. 볼콘스키 공작은 그 무렵 자주 짜증을 내고, 마리아에게 화풀이를 하곤 했는데, 편지를 보자 역시 화를 내며 소리쳤다.

"안드레이에게 어서 편지를 써라! 내가 죽기 전에는 절대 결혼할 수 없을 거라고! 하지만 그리 오래 걸리지는 않을 거야. 내가 곧 자유롭게 해 주겠다고 해라."

하지만 마리아는 아버지의 말을 그대로 전할 수 없었다. 그녀는 아버지가 곧 이해할 거라며 위로하는 편지를 썼다.

마리아는 안드레이의 아들 니콜렌카를 기르며, 하느님께 기도하는 일을 즐거움으로 알고 지냈다. 그렇지만 어느 정도 인생을 경험하게 되자, 세상 일에 대해 궁금증을 가지게 되었다.

대부분의 세상 사람들이 한순간의 즐거움이나 행복을 위해 서로 싸우고 다치고, 서로 죽고 죽이는 것은 아닐까 하는 생각이 들었다. 안드레이만 해도 그랬다. 결혼 생활에 불만이 있기는 했지만, 사랑하는 아내 리자가 죽자마자 다른 여자와 결혼하려고 애쓰고 있다.

아버지 볼콘스키 공작은 더욱 심했다. 아들이 가문이 더 좋은 부잣집 아가씨와 결혼하기를 바라고 있었다.

이처럼 하느님을 믿지 않는 사람들은 한순간의 즐거움을 누리기 위해, 영원히 지속되는 자신의 영혼을 괴롭히고 있는 것이다.

'왜 진정한 행복이 무엇인지 깨닫지 못할까?'

마리아는 가끔씩 자신을 찾아오는 여자 순례자들을 생각해 보았다. 그녀들은 허름한 빨간 셔츠를 입고, 소지품 몇 개만 챙겨 넣은 가방 하나를 메고 있었다. 그래도 그들은 행복해 보였다. 사람들을 미워하지 않고 오히려 축복을 빌어 주는 그들은, 항상 기쁨에 넘쳐서 이 마을 저 마을로 돌아다니고 있었다.

마리아는 그들이야말로 진정한 행복을 아는 사람들이라고 생각했다.

로스토프 백작 가족

로스토프 백작의 맏아들인 나타샤의 오빠 니콜라이는, 모스크바 대학에 다니다가 군대에 갔다. 그는 지금 경기병 중위로 군생활을 하고 있었다.

니콜라이는 이제 군인의 태도가 몸에 배어 있었다. 그래서 모스크바 대학 시절의 동료들이 천하게 볼 정도로 덜렁거리고, 거친 사나이가 되어 있었다. 그래도 그는 귀족이며 엄격한 교육을 받고 자랐기 때문에, 다른 군인들과는 다른 점이 있었다.

"니콜라이 중위? 정말 화끈하고 좋은 사람이야."

니콜라이의 상관이나 동료들은 그를 무척 아꼈고, 부하들은 그를 존경했다.

1810년 초, 니콜라이에게 편지가 배달되어 왔다. 나타샤가 안드레이와 약혼을 했고, 안드레이가 외국 여행을 떠났다는 내용이었다. 니콜라이는 그 편지를 읽고 무척 화가 났다. 나타샤의 약혼을 반대하는 건 아니었지만, 왠지 나타샤를 빼앗기는 것만 같았다.

게다가 1년이나 지나야 결혼할 수 있는데다가 아버지나 어머니가 그런 결혼을 무척 고마워하는 것도 마음에 들지 않았다. 또 볼콘스키 공작이 완고하기로 소문난 사람이었지만, 그가 하라는 대로만 하는 안드레이도 몹시 무기력한 사람이라고 생각했다.

봄이 되자, 니콜라이에게는 또 편지 한 통이 날아왔다. 그의 어머니가 보낸 것이었다.

사랑하는 아들, 니콜라이 보아라.

지금 집에는 큰일이 났어. 네가 와서 도와주지 않으면 시골에 있는 영지는 모두 경매에 붙여지고, 우리는 길거리에 나앉고 말 거야.

물론 우리 집안이 이렇게 된 것은 네 아버지 때문이야. 네 아버지는 사람이 너무 좋고, 놀고 먹기만 하지. 그래서 간사하고 꾀많은 농장 관리인에게 속아 넘어가기만 하고 있단다.

그렇지만 아버지의 타고난 성격이 그러니 어떡하겠니? 너는 우리가 불행해지는 것을 바라지 않겠지? 어서 돌아와 주기 바란다.

편지를 받은 니콜라이는 집으로 돌아가기로 결정했다. 그는 휴가를 신청하고 서둘러 집으로 갔다.

집에 돌아가자마자 니콜라이는 집안일을 돌보기 시작했다. 소작인이 바치는 곡식과 금전 출납부를 조사할 때였다. 아버지가 그에게 다가와 말했다.

"니콜라이, 너무 엄하게는 하지 말아라. 모두들 투덜대고 있어. 너는 줄곧 군대에 있어서 시골 일에 대해서는 모르는 것이 많잖아."

"아버지가 모르셔서 그래요. 여기 농장 관리인은 도둑이놈라고요! 그렇지만 아버지가 반대하시면 아무 말도 하지 않겠어요."

"아니다, 그럴 수는 없지. 네 마음대로 하거라. 나는 너무 늙어서 아무것도 할 수가 없어. 그러니까 네가 정리해 주렴."

"아버지를 원망하는 건 아니지만, 제가 감당하기에도 조금 버겁기는 해요."

그 후, 니콜라이는 집안일에 신경쓰고 싶지 않았다. 그는 아버지가 기르는 사냥개를 돌보며 하루를 보내곤 했다.

그러는 동안 겨울이 다가왔다. 아침 서리는 땅을 단단하게 해 주었고, 밭에서 자라는 보리는 파릇파릇한 빛깔을 뽐내고 있었다. 산토끼는 털갈이를 하고, 새끼여우들은 새 보금자리를 찾아서 이리저리 뛰어다니고 있었다. 올해 새로 태어난 새끼이리들은 개보다도 더 크게 자랐다.

어느 날, 잠에서 깨어난 니콜라이가 바깥을 내다보니, 사냥하기에 안성맞춤인 날씨였다. 나뭇가지에는 이슬이 맺혀 있고, 저 멀리 보이는 채소밭도 물기를 촉촉이 머금고 있었다. 안개는 자욱하게 끼어서 낮의 날씨가 화창할 것을 말해 주고 있었다.

'아! 정말 좋은 날씨다.'

니콜라이는 크게 기지개를 켰다. 그 때 저쪽 건물 모퉁이에서 사냥꾼 다닐로가 사냥개 한 마리를 끌고 나타났다.

"도련님, 안녕하세요?"

주름투성이 다닐로가 반갑게 인사했다.

화창한 날씨, 사냥꾼 대장, 날쌘 사냥개! 니콜라이는 눈앞의 것들을 보자, 당장이라도 사냥을 하러 가고 싶었다. 사냥을 하며 복잡한 집안일을 잊고 싶었던 것이다.

니콜라이는 다닐로에게 사냥터 형편을 물어 보고 곧 사냥 준비를 시켰다. 나타샤가 다가와서 말을 걸었지만, 그는 눈길조차 주지 않았다.

한 시간 후, 모든 준비가 끝나자 사냥꾼들은 사냥터를 향해서 출발했다. 50마리의 사냥개를 이끄는 다닐로와 사냥꾼들이 앞장섰다. 니콜라이는 씩씩하게 말을 타고 뒤를 따라갔다. 그리고 그 뒤에는 로스토프 백작과 나타샤를 태운 마차가 천천히 따라갔다. 모두들 소리도 없이 줄도 흐트러뜨리지 않으며 사냥터를 향해 나아갔다.

사냥터에 도착하자, 사냥꾼들은 각자 맡은 자리로 갔다. 로스토프 백작은 마차를 돌려보내고 말로 옮겨 탔다. 요란스러운 개짖는 소리가 들려오며 사냥이 시작되었다. 몰이꾼들의 고함 소리도 점점 커졌다. 그 소리를 들은 니콜라이의 마음은 흥분으로 가득 찼다.

니콜라이는 이 숲에 이리가 많이 산다는 것을 알고 있었다. 사냥개들은 두 패로 나뉘어서 이리를 몰고 있었고, 또 다른 사냥꾼들이 지키고 있는 길에서 실수가 많았다는 것도 알고 있었다. 그래서 니콜라이는 묵묵히 자기가 맡은 길을 지키고 있었다.

30분쯤 지났을 때였다. 니콜라이는 오른쪽 들판에서 뭔가가 움직이는 것을 발견했다. 그것은 니콜라이가 있는 쪽으로 점점 다가오고 있었는데, 자세히 보니 등의 털은 희고 배 한쪽은 불그스름한, 살이 통통하게 찐 늙은 이리였다.

이리는 누군가가 자신을 보고 있다는 것도 모른 채 날쌔게 달려오고 있었다. 니콜라이는 숨을 죽이고 사냥개 떼를 둘러보았다. 사냥개들은 아직 이리를 발견하지 못했는지 일어서기도 하고 엎드리기도 하며 여유를 부리고 있었다.

니콜라이는 쉿쉿 하고 목소리를 짜내며 사냥개들을 부추겼다. 그러나 니콜라이의 말이 그 낌새를 먼저 알아차렸다. 말은 앞으로 달려나가더니 이리의 앞길을 막으려고 조그만 골짜기를 훌쩍 뛰어넘었다. 그러자 사냥개들도 알아채고 말을 앞지르며 달리기 시작했다.

이제 니콜라이의 눈에는 말과 사냥개들이 보이지 않았다. 그는 정신없이 이리의 뒤만 쫓고 있었다. 마침내 사냥개들이 이리에게 달려들었다. 먼저 털이 붉은 개가, 그 뒤를 따라 얼룩개가 이리에게 다가갔다. 위험을 느꼈는지 이리는 뒷다리 사이로 꼬리를 내리고 도망칠 길을 찾았다.

그 때 얼룩개가 이리에게 덤벼들었다. 그러자 다른 사냥개들도 이리

를 공격하기 시작했다. 물고 물리는 치열한 싸움이었다.

니콜라이는 숨을 죽이고 사냥개들과 이리의 싸움을 지켜보았다. 얼룩개가 이리의 목을 물고 늘어졌다. 그러나 이리는 머리를 흔들며 개를 떨쳐 냈다. 그리고 이리는 휙하고 뛰어오르더니 쏜살같이 달아났다.

"쫓아가라! 절대 놓치면 안 돼!"

니콜라이는 크게 소리쳤다. 그 때 사냥꾼 대장 다닐로가 말을 타고 달려왔다. 그는 왼손에 단도를 들고 오른손으로 채찍을 휘두르며 이리의 뒤를 쫓아갔다. 사냥개들도 힘차게 다닐로의 뒤를 따랐다. 얼마 후, 사냥개들은 이리의 등 위로 뛰어올랐다.

니콜라이는 정신없이 달려갔다. 다닐로는 이리의 등에 올라타서 양쪽 귀를 잡으려고 애쓰고 있었다. 주위를 둘러싸고 있는 사냥개들 때문에 이리는 도망칠 수도 없었다. 니콜라이는 얼른 단도를 꺼내서 이리를 찌

르려고 했다. 그러자 다닐로가 소리쳤다.

"도련님, 죽이면 안 됩니다. 산 채로 잡아야 해요."

다닐로는 몸을 일으키더니 한쪽 발로 이리의 목덜미를 짓눌렀다. 그러자 다른 사냥꾼들과 몰이꾼들이 달려들어서 이리의 입에 나무 토막을 쑤셔 넣고, 가죽끈으로 친친 묶어서 사람을 물지 못하도록 했다.

"정말 큰 놈이군!"

다닐로는 이리를 살피며 히죽거렸다. 그리고 이리를 짐처럼 데굴데굴 굴렸다. 사냥꾼들과 몰이꾼들, 사냥개들은 모두 지쳤지만 기쁜 얼굴로 이리를 내려다보았다. 집으로 돌아가는 길, 그들의 발걸음은 출발할 때보다 더욱 가벼웠다.

로스토프 백작 집안은 점점 사정이 나빠졌다. 로스토프 백작 부인은 자녀들의 미래를 생각하며 한숨을 내쉬는 날이 점점 많아졌다. 그녀는 이제 남편을 원망할 마음도 들지 않았다.

로스토프 백작은 귀족들의 모임인 귀족회의 회장을 맡고 있었는데, 돈 드는 일을 줄이려고 회장직까지 그만두었다. 그만큼 생활이 어려웠던 것이다.

그래서 그녀는 어떻게 해서든지 집안을 일으켜야겠다고 생각했다. 그녀는 방법을 찾기 위해서 여러 가지로 궁리한 끝에 한 가지 방법을 찾아냈다. 그것은 바로 니콜라이를 상당한 부잣집 딸과 결혼시키는 것이었다. 그녀의 머릿속에 주리라는 아가씨가 떠올랐다. 그녀는 백작의 집안과 친하게 지내는 부잣집 딸이었다.

백작 부인은 니콜라이에게 주리 이야기를 꺼냈다. 모스크바로 가서 주리를 만나 보라고 애원했지만, 니콜라이는 들은 척도 하지 않았다. 니콜라이는 휴가 내내 집에만 있을 뿐이었다.

그 무렵, 나타샤는 안드레이에게서 편지를 받았다. 날씨가 너무 덥고 전쟁에서 입은 상처가 악화되어, 내년 초쯤에나 돌아올 수 있을 것 같다는 내용이었다. 편지를 읽은 나타샤는 몹시 서운해했고, 그로 인해 로스토프 백작 집안은 더욱 침울해졌다.

크리스마스가 다가올 무렵이었다. 니콜라이, 나타샤, 소냐는 둘러앉아 차를 마시며 이야기를 나누었다.

"오빠, 나는 요즘 이상한 기분이 드는 때가 있어요. 우리의 좋은 날은 다 지나가 버린 것 같기도 하고, 돈 한푼 남지 않고 주저앉아 버릴 것 같기도 해요. 오빠도 그런 생각이 들 때가 있어요?"

"나도 너랑 똑같아. 군대에 있을 때도 그런 기분이 들 때가 있었어. 다른 사람들은 모두 신나게 떠들고 있는데, 나만 혼자 외톨이가 된 것 같았어. 그들과 어울릴 수가 없었지. 세상의 모든 일이 시시하게만 보였거든."

니콜라이와 나타샤의 이야기는 계속되었다. 시간 가는 줄도 모르고 어렸을 때의 일들, 무서웠던 일, 슬펐던 일, 즐거웠던 일들을 이야기하였다.

소냐는 두 사람의 이야기를 듣기만 했다. 그녀는 두 사람과 어린 시절을 함께 보냈지만, 뚜렷하게 기억을 떠올릴 수가 없었다. 그리고 기억한다고 해도 두 사람처럼 조리 있고 재미있게 말할 자신도 없었다.

소냐는 자신이 로스토프 백작의 친딸이 아니라는 사실을 늘 생각하고 있었다. 그래서 되도록이면 가족들 모임에 끼지 않으려고 했다. 그리고 니콜라이나 나타샤처럼 머리가 좋은 것도 아니라는 생각도 들었다.

크리스마스 파티가 끝난 후였다. 니콜라이는 갑자기 어머니에게 자신의 마음을 털어놓았다.

"어머니, 저는 소냐를 사랑합니다. 소냐와 결혼하고 싶습니다."

백작 부인은 그리 놀라지는 않았다. 어려서부터 함께 자랐으므로 이런 일이 일어날지도 모른다는 생각을 항상 해 왔던 것이다. 그러나 두 사람의 결혼을 찬성할 수는 없었다. 니콜라이가 부잣집 아가씨와 결혼을 해야 집안을 다시 일으켜 세울 수 있었기 때문이었다.

백작 부인은 소냐를 불러서 엄하게 꾸짖었다. 소냐는 자신이 로스토프 백작 댁에서 큰 은혜를 입었다는 것을 알고 있었다. 그렇지만 그것 때문에 자신의 사랑과 행복을 포기하고 싶지는 않았다. 어린 시절부터 줄곧 니콜라이만을 사랑해 왔던 것이다.

그녀는 절대로 포기할 수 없다는 것을 알리기라도 하듯 굳센 태도를 보였다. 백작 부인이 아무리 소냐를 괴롭혀도 입을 꼭 다물기만 했다.

니콜라이는 무슨 일이 있어도 소냐와 결혼할 거라며 백작 부인의 마음을 아프게 했다.

그는 군복무가 끝나는 대로 결혼하기로 결심하고 일단 부대로 돌아갔다. 그러나 부모님과 사이가 나빠진 채 돌아가자니, 그의 마음은 찢어지는 것 같았다.

니콜라이가 떠난 후, 로스토프 백작의 집안은 더욱더 침울해졌다. 백작 부인은 병이 나서 자리에 누워 버렸고, 소냐는 나날이 말라 갔다.

모스크바

피에르는 모스크바의 사교계에서 인기 있는 사람으로 떠오르고 있었다. 겉모습은 볼품없었지만, 따뜻하고 친절한 마음씨가 사람들 사이에서 인정을 받았던 것이다.

피에르의 지갑은 언제나 텅 비어 있었다. 그는 늘 좋은 일에 돈을 기부했다. 프리메이슨의 사회 사업, 무명 화가의 전시회, 학교의 바자회, 교회 행사 등이 있을 때면 그는 아낌없이 돈을 내놓았다. 그에게 기부금을 부탁한 사람 중에는 거절당한 사람이 한 사람도 없을 정도였다.

그렇지만 7년 전 그가 막 파리에서 돌아왔을 때에는 이상에 불타고 있었다. 지금처럼 아무 모임에나 나가서 웃고 떠드는 것은 상상조차 할 수 없었다. 그는 러시아 공화국을 건설하게 되기를 간절히 바라고 있었다. 그는 나폴레옹과 같은 전략가가 되는 걸 꿈꾸었고, 철학가가 되기를 바라기도 했다. 또 농장에서 노예처럼 부려지는 소작인들을 해방시켜 주려는 생각도 가지고 있었다.

그런데 지금의 그는 그 때와는 전혀 다른 모습이었다. 그는 아내와 어울려서 술도 잘 마시고, 아무 술자리에나 어울려서 정치 이야기를 하기도 했다. 그는 이제 미래에 대해 꿈꾸던 예전의 모습을 잃어버렸던 것이다. 그도 자신이 변했다는 것을 잘 알고 있었다.

'내가 왜 이렇게 변했을까? 내가 원하던 생활은 이런 것이 아니었는 데……. 다시 예전으로 돌아가자. 인류를 위해서 할 수 있는 일을 찾 아야 해.'

그러나 기분이 좋지 않을 때에는 이런 생각을 하며 자신을 위로하기 도 했다.

'뭐, 어때? 나랑 술을 마시는 사람들도 한때는 순수했을 거야. 인생 을 개척하려고 했겠지. 그렇지만 아무것도 하지 못하고, 나처럼 술이 나 마시며 지내게 되었겠지.'

피에르는 불안한 마음을 떨쳐 버릴 수가 없었다. 그러나 현실로 돌아 오면 다시 먹고 마시며 떠들 뿐이었다.

겨울이 되자, 볼콘스키 공작은 딸 마리아와 함께 모스크바로 올라왔 다. 볼콘스키 공작은 예전에 어울리던 사람들을 만나 정치 이야기를 하 며 보냈지만, 마리아는 이야기를 나눌 만한 친구가 없어서 외롭기만 했 다.

그러나 그녀에게도 5년 동안 편지를 주고받았던 친구가 있었다. 로스 토프 백작 부인이 며느릿감으로 눈독 들이고 있는 주리였다.

주리의 오빠가 터키에서 전사하자, 주리는 슬픈 마음을 달래려고 마 리아에게 편지를 보내곤 했다. 마리아는 자신의 일처럼 가슴 아파하며 복음성서의 말을 빌려서 주리를 위로해 주었다.

그런데 그런 주리가 다른 사람처럼 변해 있었다. 오빠의 죽음으로 어 마어마한 재산을 상속받게 되자, 아주 교만한 여자로 변해 있었던 것이 다. 편지를 주고받으며 느꼈던 친근감, 다정다감한 감수성, 말괄량이 같은 쾌활함도 찾아볼 수가 없었다.

시골에서 지낼 때에는 주리의 편지가 큰 즐거움이었는데, 모스크바에 올라온 후에는 외로움만 느끼게 되었다.

매일 밤 볼콘스키 공작과 친한 사람들이 집으로 몰려들었다. 그들의 화제는 화려한 사교계 이야기와 정치뿐이었다.

어느 날, 정치가 로스토프친 백작과 피에르, 보리스 등이 마리아의 집을 찾았다. 그들은 나폴레옹에 대해 이야기하며 시간을 보냈다.

먼저 로스토프친 백작이 입을 열었다.

"모든 것이 나폴레옹이 마음먹은 대로 돌아가고 있어. 유럽 나라들이 우리 러시아만을 넘보고 있다고!"

볼콘스키 공작이 말했다.

"군사가 50만 명이나 있는 우리 나라가 갑자기 나타난 프랑스에게 무릎을 꿇어서야 되겠습니까?"

그들의 이야기는 한참 동안 계속되었다. 얼마 후, 사람들은 하나 둘 자리에서 일어났다. 볼콘스키 공작도 자리를 뜨자, 응접실에는 피에르와 마리아만 남게 되었다.

"마리아, 잠깐 이야기를 나누고 싶어요."

"그래요, 그렇게 하세요."

"저 사람과는 예전부터 아는 사이였나요?"

"누구를 말씀하시는 거예요?"

"보리스 말입니다."

"아, 알게 된 지 얼마 안 됐어요."

"마리아, 보리스를 어떻게 생각하세요? 마음에 드세요?"

"네, 좋은 분 같아요. 성격도 시원시원하고……. 그런데 왜 그런 걸 물으시죠?"

"그가 어떤 마음을 먹고 있는지 알기 때문입니다. 휴가를 얻은 젊은 군인들이 상트페테르부르크에서 모스크바로 오는 데에는, 그만한 이유가 있답니다. 부잣집 아가씨와 결혼하기 위해서지요."

"정말 그런가요?"

"네, 보리스는 지금 당신과 주리 양을 노리고 있는 것 같아요."

피에르의 말을 들은 마리아는 잠시 생각에 잠겼다. 그 때, 피에르가 불쑥 말을 꺼냈다.

"마리아, 보리스와 결혼하는 게 어떻겠어요?"

"네? 글쎄요……. 어떨 때는 아무하고나 결혼해 버릴까 하는 생각을 하기도 해요."

마리아의 목소리는 떨리고 있었다.

"정말 그런 생각을 하시는 거예요?"

"네. 그렇지만 저는 마음속으로만 좋아하는 분이 있어요. 아주 가까운 분이지요. 그분에게 늘 슬픈 모습만 보여 드리는 것이 속상해요. 그렇지만 어디론가 도망치고 싶을 때도 있어요. 어머, 내가 무슨 말을 하는 거야? 지금 제가 한 말은 잊어 주세요."

마리아는 어쩔 줄을 몰랐다.

"마리아, 왜 그래요?"

"아, 아니에요. 너무 괴로워서 머리가 잠깐 어떻게 됐나 봐요. 저는 지금 아버지가 오빠의 결혼을 반대하시는 것 때문에 무척 괴로워요. 아버지는 여전히 나타샤 양이 마음에 들지 않으신 것 같아요."

"지금도 반대를 하신단 말이에요?"

"네. 오빠가 떠난 지 1년이 다 되어 가는데, 아버지는 마음을 바꾸실 생각이 없는 것 같아요. 오빠가 행복하게 결혼식을 올렸으면 좋겠는데……."

마리아는 잠시 뜸을 들이다가 피에르에게 말했다.

"피에르, 나타샤 양에 대해 알고 계시죠? 어떤 분인지 말씀 좀 해 주세요. 오빠는 아버지가 아무리 반대하셔도 나타샤 양이랑 결혼할 거예요. 그렇다면 제가 그 아가씨에 대해 알아 두어야 할 것 같아요."

"저도 나타샤 양에 대해서는 잘 알지 못합니다. 그러다 보니 그 아가씨가 어떤 사람이라고 말할 수가 없군요. 하지만 무척 매력 있는 분이라는 것은 말씀드릴 수 있어요. 그 매력이 어디에서 나오는 건지는 알 수 없지만……."

피에르의 말을 들은 마리아는 안도의 한숨을 내쉬었다.

"그런데 나타샤 양은 지혜로운 아가씨임에는 틀림없지요?"

"음, 그건 사람마다 기준이 다르니까 뭐라고 말할 수 없네요."

마리아는 나타샤가 더욱더 궁금해졌다.

다음해 1월, 로스토프 백작 가족은 몸이 약해진 백작 부인만을 남겨 두고, 모스크바로 왔다. 모스크바에 있는 백작의 집은 오랫동안 비워 두었기 때문에 난로도 피워져 있지 않았고, 또 모스크바에는 단 며칠 동안만 머물 예정이어서 아흐로시모바 부인의 저택에서 묵기로 했다.

아흐로시모바 부인은 오랫동안 로스토프 백작 집안과 친분이 있었다. 그래서 모스크바에 오게 되면 자신의 집에 머물러 달라고 부탁을 했던 것이다.

모스크바에 도착한 다음 날, 로스토프 백작은 나타샤와 함께 볼콘스키 공작의 집을 방문했다. 사실 로스토프 백작은 볼콘스키 공작이 마음에 들지 않았다. 까다로운 성격이라는 것을 알고 있는데다가, 나타샤를 마음에 들어하지 않는다고 하니 그를 만나는 것이 불편할 수밖에 없었다.

그러나 나타샤는 무척 설레었다.

'안드레이의 가족은 어떤 분들일까? 그분들이 나를 사랑하지 않는다는 것은 말도 안 돼. 지금까지 모든 사람들이 나를 사랑했어. 그러니까 그분들도 나를 사랑하도록 만들 거야.'

나타샤는 마음을 굳게 먹고 아버지를 따라 나섰다.

얼마 후, 로스토프 백작과 나타샤는 낡고 어두운 볼콘스키 공작의 집에 도착했다. 하인들이 볼콘스키 공작에게 알렸지만, 볼콘스키 공작은 얼굴을 찌푸리고 소리쳤다.

"그런 사람들은 만나고 싶지 않다. 마리아가 보고 싶다고 하면 만나게 하고, 나한테는 못 들어오게 해!"

잠시 후, 로스토프 백작과 나타샤는 응접실로 안내되었다. 그 곳에는 마리아가 두 사람을 기다리고 있었다. 어색한 시간이 흘렀다. 마리아는 나타샤가 마음에 들지 않았다. 나타샤의 화려한 옷차림이 더욱 그런 기분을 들게 했다.

'허영심이 많아 보이는걸. 오빠는 왜 저런 여자와 결혼하겠다는 거야?'

안절부절못하던 로스토프 백작은 곧 자리에서 일어났다.

"마리아 양, 실례하겠습니다. 급한 볼일이 있어서 먼저 일어나야겠습니다. 그러니 잠시 동안만 나타샤가 여기에 있도록 해 주십시오. 곧 데리러 오겠습니다."

로스토프 백작은 답답한 볼콘스키 공작의 집을 벗어나고 싶어서 꾀를 부렸던 것이다. 그리고 마리아와 나타샤가 친하게 지낼 수 있도록 해 주고 싶은 마음도 있었다.

나타샤는 아버지의 마음을 이해하긴 했지만, 처음 오는 집에 혼자 버려 둔 것이 섭섭하기도 했다. 그러나 나타샤는 자신감을 잃지 않고 마리아를 바라보았다. 사실 나타샤는 그다지 기분이 좋지 않았다. 하인들의 허둥대는 태도, 밖으로 나오지 않는 볼콘스키 공작, 마리아의 어색한 안내 등 이상한 점이 한두 가지가 아니었다. 나타샤는 기분이 나쁘다는 걸 감추려고 더욱더 밝은 표정을 지었다.

그렇지만 자신도 모르게 말투가 거칠어졌다. 그런 점은 마리아에게 나쁜 감정을 심어 줄 뿐이었다.

두 사람은 많은 이야기를 나누었지만, 어색함은 사라지지 않았다. 그렇게 시간을 보내고 있을 때, 슬리퍼를 끄는 소리가 들려왔다. 문이 덜컥 열리더니 실내복을 입고 흰 실내 모자를 쓴 볼콘스키 공작이 들어왔다.

"아, 이런……. 로스토프 백작의 따님이시군요? 여기 계신 줄도 모르고 이런 꼴로 들어왔네요."

나타샤는 어떻게 해야 할지 몰라 그저 앉았다 일어섰다 할 뿐이었다. 볼콘스키 공작은 그런 나타샤를 머리에서 발끝까지 훑어보더니 나가 버렸다.

얼마 후, 로스토프 백작이 돌아왔다. 나타샤의 얼굴에 미소가 피어올랐다. 아버지가 그 때만큼 반가웠던 적도 없었다. 나타샤는 1시간 넘게 대화를 나누면서도 마리아가 안드레이에 대해서는 한 마디도 하지 않은 것에 무척 화가 나 있었다.

로스토프 백작과 나타샤가 응접실 밖으로 나갔을 때, 마리아는 문득 안드레이 생각이 났다. 그녀는 재빠르게 두 사람을 쫓아갔다.

"나타샤, 당신 덕분에 오빠가 다시 행복을 찾게 되어서 무척 기뻐요."

그러나 마음에도 없는 거짓말을 하던 마리아는 입을 다물고 말았다. 나타샤는 그런 마리아의 마음을 눈치채고 쌀쌀맞은 목소리로 말했다.

"그래요? 그 마음은 참으로 감사해요. 하지만 지금은 그런 이야기를 할 때가 아닌 것 같네요."

집으로 돌아오는 나타샤의 가슴속에서는 뜨거운 눈물이 솟구쳐 올랐다.

'조금만 참았더라면……'

아흐로시모바 부인의 집으로 돌아온 후, 나타샤는 흐르는 눈물을 참을 수 없었다. 볼콘스키 공작 가족이 자신을 사랑하도록 만들고 싶었는데, 오히려 나쁜 인상만 심어 주고 왔던 것이다.

그날 밤, 나타샤는 아버지를 따라 오페라 극장에 갔다. 별로 내키지 않았지만, 표를 구해 준 아흐로시모바 부인의 성의를 무시할 수 없었던 것이다. 로스토프 백작과 나타샤, 소냐를 태운 마차는 눈길을 달려 오페라 극장에 도착했다. 나타샤와 소냐는 가볍게 치마를 들어올리고 마차에서 내렸다.

복도로 들어서자 희미한 음악 소리가 들려왔다. 안내인은 로스토프 백작 일행을 지정석으로 안내해 주었다. 안으로 들어가자 음악 소리는 더욱 높게 들렸다. 눈부시도록 밝은 등불이 켜져 있는 관람석과 여러 색깔의 의상을 입은 사람들이 조용히 앉아 있기도 하고, 이야기를 나누기도 하는 모습이 나타샤의 눈에 들어왔다.

나타샤는 옷이 구겨지지 않게 조심하며 의자에 앉았다. 그 순간 관람석에 앉아 있던 손님들의 눈이 백작 일행에게로 쏠렸다. 오랫동안 모스크바에 모습을 드러내지 않았던 백작 일행은 오래도록 사람들의 눈길을 받았다.

그러는 동안 키가 크고 화려한 옷차림을 한 귀부인이 옆으로 다가왔다. 머리는 커다랗게 부풀려서 묶고, 살이 오른 어깨를 드러낸 옷에 진주 목걸이를 하고 있었다. 그녀는 한눈에도 비싸 보이는 두꺼운 천으로 만든 옷을 입고 있었는데, 옷이 구겨지지 않게 하려고 옷자락 소리를 내며 천천히 자리에 앉았다.

나타샤는 무심코 고개를 돌렸다가 그 귀부인을 보았다. 나타샤는 그 아름답고 화려한 모습에 넋을 잃고 말았다. 그 귀부인도 문득 나타샤 쪽을 보다가 로스토프 백작과 눈이 마주치자, 가볍게 인사를 하고 생긋 웃었다.

이 부인이 바로 피에르의 아내 엘렌이었다. 사교계에 나가는 사람이라면 거의 모두가 로스토프 백작을 알고 있었던 것이다. 로스토프 백작은 엘렌에게로 다가가서 말을 걸었다.

"안녕하세요? 모스크바에는 언제 오셨나요? 베즈호프 백작께서도 모스크바에 계시다면 꼭 만나 뵙고 싶네요."

"네, 그이도 한번 찾아뵙고 싶다고 하셨어요."

엘렌은 상냥하게 대답하면서 나타샤를 자세히 살폈다.

이윽고 오페라가 시작되었다. 극장 안은 조용해졌고, 오페라를 처음 보는 나타샤도 숨을 죽이고 무대를 지켜보았다.

붉은 윗도리에 하얀 치마를 입은 아가씨들과 깃 장식이 달린 모자를 쓰고 단도를 든 남자들이 차례차례 무대 위에 나타났다. 그들은 춤을 추기도 하고, 독창을 하기도 하고, 이중창을 하기도 했다.

오랫동안 시골 생활을 한 나타샤에게는 그 모든 것이 이상해 보였다. 무대 배경, 조명, 배우들의 과장된 몸짓, 우스꽝스럽게 보이는 분장까지 낯설기만 했다. 그래서 그녀는 다른 생각을 하느라 음악을 귀담아 듣지 않았다.

그러는 사이 주연 여배우의 아리아가 시작되었다. 관람석은 다시 조용해졌다. 그 때, 뒤쪽 문이 열리며 한 젊은이가 들어왔다. 그는 엘렌의 오빠이자 쿠라긴 공작의 둘째 아들인 아나톨리였다. 아나톨리는 키가 크고 얼굴도 잘생겼는데, 그것을 무척 자랑으로 여겼다. 그는 조심스럽게 자리에 앉았다.

군복을 입은 그의 모습은 무척 늠름해 보였다. 그리고 그에게는 여자의 마음을 끄는 향기가 감돌고 있었다. 나타샤는 살며시 그를 바라보았다. 상트페테르부르크의 무도회에서 몇 번 본 적이 있었다.

오페라 중간에 잠시 쉬는 시간이 되었다. 아나톨리는 나타샤 쪽으로 다가왔다. 그 모습을 본 엘렌이 나타샤에게 말했다.

"나타샤, 우리 오빠 아나톨리를 소개해 드릴게요."

나타샤는 아나톨리에게 인사를 하면서 미소지었다. 아나톨리는 나타샤 옆의 빈 자리로 와서 앉았다. 가까이에서 보니 그는 더욱 잘생긴 사람이었다.

"나타샤 양……."

아나톨리는 오랜 친구처럼 친절하고 스스럼없는 말투로 이야기했다.

"요즘 친구들과 재미있는 놀이를 하려고 준비하고 있답니다. 모두 가장을 하고 회전목마를 탈 계획이지요. 나타샤 양도 오시겠어요? 무척 재미있을 거예요."

그는 이렇게 말하면서 나타샤의 얼굴과 목덜미, 팔 등을 훑어보았다. 그런데 나타샤는 그의 눈길이 싫지만은 않았다. 나타샤는 그가 자신에게 마음을 빼앗겼다는 사실을 알 수 있었다. 이렇게 잘생긴 사람이 자신을 좋아한다고 생각하니 기분이 좋아지기까지 했다.

그렇지만 나란히 앉아 있는 것은 아무래도 불편했다. 그래서 나타샤는 일부러 다른 쪽을 보며 딴청을 피웠다. 그런데도 아나톨리는 줄곧 나타샤만을 바라보고 있었다. 두 사람 사이에 어색한 침묵이 흘렀다. 나타샤가 먼저 침묵을 깨고 물었다.

"모스크바는 어떠신가요?"

"음……. 사실은 지금까지는 별로 좋은 도시라고 생각해 본 적이 없어요. 저는 아름다운 여성을 만날 수 없는 도시를 좋아하지 않거든요. 그런데 지금은 그 생각이 바뀌었습니다. 너무나 아름다운 여성을 만났으니까요."

아나톨리의 말을 들은 나타샤는 가슴이 뛰기 시작했다. 아름다운 여성은 바로 나타샤 자신을 두고 하는 말이었다.

얼마 후, 오페라가 끝났다. 나타샤 일행은 마차가 있는 곳으로 갔다. 그러자 아나톨리가 달려와 마차에 오르는 것을 도왔다. 나타샤의 손을 잡고 올려 줄 때, 아나톨리는 나타샤의 팔꿈치를 꽉 쥐었다. 그러자 당황한 나타샤의 얼굴이 붉어졌다. 아나톨리는 상냥한 미소를 띠고 그녀를 한참 동안 바라보았다.

집으로 돌아온 후, 나타샤는 극장에서 있었던 일을 생각했다. 그러나 그 순간 안드레이의 얼굴이 떠올랐다. 그녀는 자신이 죄를 지은 것만 같았다.

'아, 이제 나는 안드레이와 결혼할 자격을 잃은 게 아닐까?'

그러나 잠시 후, 그녀는 자신을 위로하듯 나직하게 중얼거리며 생긋 웃었다.

"내가 무슨 짓을 했다고 그래? 이렇게 시시한 걸 가지고⋯⋯."

그녀는 고개를 내저으며 침대 위에 엎드렸다.

'왜 안드레이는 내 곁에 있어 주지 않을까⋯⋯.'

나타샤는 안드레이가 무척 그리웠다.

아나톨리를 향한 나타샤의 마음

얼마 후, 로스토프 백작과 나타샤, 소냐는 베즈호프 백작 댁에서 열리는 무도회에 초대받았다. 베즈호프 백작의 집에 도착하자, 아나톨리가 홀 입구에 서서 나타샤를 기다리고 있었다.

"나타샤, 어서 와요."

아나톨리를 보자, 나타샤는 자기도 모르게 얼굴이 붉어졌다.

'이 사람은 나를 좋아하는 게 분명해.'

나타샤는 그 사실이 무척 자랑스러웠다. 그렇지만 그와 가까워지는 것 같아서 두렵기도 했다.

식사가 끝나자, 어느 귀부인이 일어나 프랑스 어로 시를 낭송하기 시작했다. 무척 긴 낭송이 끝나자, 로스토프 백작은 자리에서 일어났다. 그러자 엘렌이 말했다.

"벌써 가시려고요? 이제 곧 춤을 출 거예요. 따님만이라도 남게 해 주세요."

어쩔 수 없이 나타샤와 소냐는 남게 되었다.

음악이 시작되자, 아나톨리는 나타샤에게 다가와 왈츠를 추자고 손을 끌었다. 춤을 추면서 그는 나타샤에게 속삭였다.

"오늘 밤 유난히 아름답군요!"

그리고 또 귓가에 입을 대고 말했다.

"나는 이제 당신의 포로가 된 것 같아요."

아나톨리는 나타샤에게 달콤한 말들을 끊임없이 속삭였다.

다음으로 에코세즈라는 음악이 흘러나왔다. 두 사람은 짝을 이루어 춤을 추었다. 나타샤는 그의 달콤한 말이 귓전에 맴돌았지만, 겁이 나기도 했다. 한참을 망설이던 나타샤는 용기를 내어 아나톨리에게 말했다.

"이제 저에게 그런 말은 하지 마세요. 저는 약혼자가 있어요. 저는 그분을 무척 사랑해요."

그러나 아나톨리는 조금도 신경쓰지 않았다.

"그런 건 중요하지 않아요. 상관없어요."

아나톨리는 나타샤의 손을 힘껏 잡으며 말했다.

"나타샤, 아까도 말했지만 나는 당신에게 사로잡혔어요. 잘못이 있다면 당신의 그 아름다움에 있을 뿐, 내 잘못은 아니에요."

그날 밤, 집으로 돌아온 나타샤는 좀처럼 잠을 이룰 수 없었다.

'내가 정말 왜 이러지? 내가 사랑하는 사람은 안드레이일까, 아나톨리일까? 난 분명히 안드레이를 사랑해.'

그녀가 안드레이를 사랑하는 것은 분명한 사실이었다. 그렇지만 지금 그녀는 아나톨리도 사랑한다. 둘 다 의심할 여지가 없는 사실이었다.

다음 날 아침, 식사를 끝낸 후였다. 아흐로시모바 부인이 나타샤에게 편지 한 통을 건넸다.

"나타샤, 마리아가 보낸 편지야. 마리아는 자기가 나타샤를 싫어하는 줄 알까 봐 걱정하고 있어. 어서 읽어 봐."

"마리아는 정말 나를 싫어해요."

"아니야, 그렇지 않아요. 어서 편지를 읽고 답장을 쓰도록 해."

나타샤는 아무 말도 하지 않고 방으로 가서 편지를 읽기 시작했다.

나타샤

내가 당신을 싫어하는 줄로 오해하고 있지요?

그렇지 않아요. 저는 그 생각만 하면 괴로워서 견딜 수가 없어요. 아버지의 마음이 어떻든 저는 오빠가 선택한 당신을 사랑해요. 오빠의 행복을 위해서라면 저는 그 어떤 일이라도 할 수 있어요.

제발 나를 믿어 주세요. 우리 다시 만나서 이야기해요. 부탁해요.

나타샤는 답장을 쓰려고 책상 앞에 앉았다. 하지만 곧 그녀는 펜을 멈추고 생각에 잠겼다.

'내가 사랑하는 사람이 안드레이가 맞는 걸까? 하지만 어젯밤에 아나톨리와 무척 행복했어. 그러면 내가 아나톨리를 사랑하는 걸까? 아, 답장을 뭐라고 써야 하지?'

나타샤는 고민에 빠져 결국 답장을 쓰지 못했다.

그 날 저녁, 식사가 끝난 후 한 하인이 아무도 몰래 나타샤의 방에 들어왔다.

"아가씨, 어떤 분이 이 편지를 아가씨께 전하라고 하셨어요."

나타샤는 하인이 돌아간 후, 편지를 뜯어 보았다. 그것은 아나톨리가 보낸 편지였다.

'어머, 아나톨리가?'

나타샤는 떨리는 손으로 편지를 뜯었다. 그 편지는 아나톨리의 오랜 친구인 돌로호프가 대신 쓴 것이었다. 사랑을 고백한 그 편지에 나타샤는 온통 마음을 빼앗기고 말았다. 나타샤의 마음은 점점 아나톨리에게로 기울고 있었다.

그날 밤, 아흐로시모바 부인은 어느 집을 방문하기로 했다.

"나타샤, 소냐, 함께 가지 않을래?"

"저는 그냥 집에 있을게요. 몸이 좋지 않아요."

나타샤는 혼자 집에 남기로 했다. 아흐로시모바 부인은 소냐와 함께 집을 나섰다. 밤늦게 소냐가 돌아와 보니, 나타샤는 잠옷으로 갈아입지도 않고 소파에서 잠들어 있었다.

"몸이 많이 안 좋은가?"

소냐는 나타샤의 모습에 깜짝 놀랐다. 그런데 소냐는 테이블 위에 있는 아나톨리의 편지를 보게 되었다. 소냐는 편지를 끝까지 읽어 보았다.

"나타샤! 일어나 봐!"

소냐는 나타샤를 불러 깨웠다.

"아, 소냐! 언제 왔어?"

나타샤는 자리에서 일어났다. 나타샤는 소냐의 얼굴색이 변한 것을 알아차릴 수 있었다.

"소냐, 이 편지를 읽었니?"

"그래, 읽었어."

"소냐, 모두 이야기할게. 우리는 서로 사랑하고 있어."

소냐는 나타샤의 말을 그대로 믿고 싶지 않았다.

"나타샤, 그럼 안드레이와는 어떻게 되는 거야? 두 사람은 약혼했잖아."

"그렇지만 아나톨리를 사랑해. 난 이제 어쩔 수가 없어. 그분에게 사로잡혀 버린걸."

소냐는 기분이 이상해졌다. 약혼자를 두고 다른 사람을 사랑하게 된 나타샤가 망측스럽기도 하고, 또 그것 때문에 불행을 겪게 될까 봐 걱정스럽기도 했다.

"나타샤, 나는 이대로 가만 있을 수 없어. 사람들에게 알려야겠어."

"소냐! 절대 안 돼. 네가 사람들에게 알리면 나는 불행해지고 말 거야."

"나타샤! 정신 차려!"

나타샤는 한숨을 내쉬었다. 소냐는 걱정스러운 표정으로 물었다.

"나타샤, 아나톨리 씨가 정말 너를 사랑하니?"

"너도 편지를 읽어 봤으면 알 거 아니니? 그리고 극장에서나 무도회에서 나한테 어떻게 하는지 봤잖아."

그렇지만 소냐의 걱정은 사라지지 않았다.

"하지만 아나톨리의 마음이 진심이 아니라면 어떻게 할 거야?"

"너는 아나톨리를 알지도 못하면서 왜 자꾸 그런 말을 하니?"

"내 생각에는 말이야. 아나톨리가 정말로 너를 사랑한다면 결혼하자고 하거나, 아니면 앞으로 너를 만나지 않겠다고 할 거 같아."

소냐는 말을 끝내고, 방에서 나가 버렸다. 나타샤는 마리아에게 답장을 쓰기 시작했다.

마리아

이제 우리 사이에 오해는 없어요. 안드레이는 외국으로 떠나면서 나에게 결혼 전까지 자유를 허락한다고 했어요. 안드레이가 돌아올 때까지 내 마음이 변함없으면 우리는 결혼하기로 했지요.

그런데 이제 저는 그의 아내가 될 수 없어요. 앞으로 저의 행동이 마리아를 불쾌하게 할지도 몰라요. 이해하기를 바랄게요.

며칠 후, 로스토프 백작은 농장을 팔기 위해서 시골로 내려갔다.

그 날, 나타샤와 소냐는 한 귀족의 집에 저녁 초대를 받았다. 그 곳에는 아나톨리도 와 있었다. 그런데 소냐는 나타샤와 아나톨리가 사람들의 눈을 피해 몰래 이야기하는 것을 보게 되었다. 나타샤의 얼굴은 그 어느 때보다도 환해 보였다.

그런데 그 다음 날 아침, 하인이 나타샤에게 편지를 건넸다. 그것을 본 소냐는 몹시 걱정스러워하며 나타샤의 행동을 주의깊게 살폈다. 나타샤는 누군가를 기다리기라도 하듯 응접실 창가에 앉아 있었다. 창 밖으로 군인이 지나가자, 그녀는 이상한 손짓을 했다. 그러자 그 군인도 나타샤에게 손짓을 했다.

'무슨 일을 꾸미는 게 분명해.'

소냐는 나타샤의 행동 하나하나를 놓치지 않으려고 했다.

저녁때가 되자, 나타샤의 행동은 더욱 이상해졌다. 묻는 말에 엉뚱한 대답을 하기도 하고, 말을 꺼냈다가는 중간에 그만두기도 했다. 또 깔깔거리며 웃기도 했다. 뭔가 불안한 게 틀림없었다.

'아나톨리와 도망이라도 치려나 보지?'

소냐는 이렇게 생각하고, 나타샤를 막을 방법을 궁리하기 시작했다.

'음, 백작님은 안 계시고, 피에르에게 도와 달라고 하기엔 너무 늦었어. 그 동안에 도망칠지도 몰라. 그럼 이 집 마님께 이야기할까? 그래, 그게 낫겠다. 나타샤에게는 미안한 일이지만 그렇게 하는 것이 백

작님의 은혜에 보답하는 길이고, 로스토프 백작 가문에도 좋은 일이
야. 나의 니콜라이를 위해서라도 나타샤를 지켜야 해!'

소냐는 마음을 굳게 먹었다.

아나톨리는 친구 돌로호프의 집에 머물고 있었다. 돌로호프는 아나톨
리에 버금가는 바람둥이였다. 그는 맑은 하늘색 눈에 곱슬머리였다. 돌
로호프는 낮은 신분에 재산도 별로 없었다. 그렇지만 아나톨리가 나타
샤를 빼돌리려는 계획을 세우는 데 가장 큰 도움을 준 사람이 바로 돌
로호프였다.

아나톨리는 2, 3일 전부터 나타샤와 도망갈 계획을 세웠다. 소냐의
짐작대로 바로 오늘 밤이 그 날이었다. 아나톨리는 나타샤와 마차를 타
고 국경을 넘어서 폴란드로 도망칠 생각이었다. 그는 여권과 2만 루블
을 준비했다. 누이동생 엘렌과 친구 돌로호프가 1만 루블씩 마련해 준
것이었다.

이제 모든 준비가 끝나고, 나타샤만 무사히 집을 빠져 나오면 성공이
었다.

아나톨리는 돌로호프에게 작별 인사를 했다.

"돌로호프, 그 동안 정말 고마웠네."

"조심하게. 생각해 보니까 위험한 일이 한두 가지가 아닐 거 같아."

돌로호프는 걱정스러운 표정으로 말했다.

"그런데 만약 자네가 결혼했다는 것이 알려지면 벌을 받게 되지 않을
까?"

"그런 얘기는 하지도 말라고!"

아나톨리는 얼굴을 찡그리며 말했다. 그는 이미 2년 전에 결혼했던
것이다.

"이제 떠나야겠군."

아나톨리는 검은 모피 모자를 쓰고, 은빛 끈이 달린 코트를 입고 마차에 올라탔다. 마차는 가로수길을 빠르게 달려서 아흐로시모바 부인의 집 앞에 도착했다.

아나톨리와 돌로호프는 대문 가까이로 갔다. 돌로호프는 대문 옆에 서서 휘파람을 불었다. 그러자 집 안에서 하인 하나가 달려나왔다.

"빨리 안으로 들어오세요. 들키면 큰일난다고요!"

아나톨리는 하인의 안내를 받아 나타샤가 기다리고 있는 건물 뒤쪽에 있는 계단 쪽으로 갔다. 그 때, 몸집이 커다란 남자가 아나톨리의 앞을 가로막았다. 그는 아흐로시모바 부인을 호위하는 사람이었다. 소녀의 이야기를 들은 부인이 이 하인에게 이 곳을 지키게 했던 것이었다.

"자, 마님께 갑시다."

"마님이라니, 누구를 말하는 거냐?"

"이 댁 마님 말씀입니다. 당신이 오면 꼭 모셔오라고 하셨습니다. 갑시다!"

하인은 아나톨리의 팔을 붙잡으려고 했다. 그 때, 밖에서 돌로호프가 외쳤다.

"아나톨리, 들켰어! 도망가자!"

돌로호프는 대문을 잠그려고 하는 문지기와 실랑이를 벌이고 있었다. 아나톨리가 밖으로 뛰어나오자, 돌로호프는 온 힘을 다해 문지기를 쓰러뜨렸다. 그리고 두 사람은 마차를 타고 도망쳤다.

돌아온 안드레이

엘렌이 모스크바로 돌아온 후, 피에르는 그녀와 부딪치지 않으려고 애썼다. 그래서 그는 여기저기로 여행을 다니고 있었다.

　잠시 모스크바로 돌아왔을 때 피에르는 아흐로시모바 부인에게서 편지를 받았다. 나타샤에게 급한 일이 생겼으니 집으로 와 달라는 내용이었다. 피에르는 급히 아흐로시모바 부인의 집으로 갔다. 가는 도중 그는 우연히 아나톨리를 만났다.

　"피에르, 언제 돌아왔나?"

　아나톨리의 얼굴에서는 윤기가 흐르고, 모자 밑으로는 가루분이 뒤덮인 머리카락이 보였다.

　"저 녀석은 멋있게 사는군. 불안할 것이 없으니 마냥 즐겁기만 할 거아냐? 부럽네, 부러워."

　피에르는 멀어져 가는 마차의 뒤를 바라보며 중얼거렸다. 곧 피에르는 아흐로시모바 부인의 집에 도착했다.

　"도대체 무슨 일입니까?"

　"정말 부끄러운 일이에요. 어떻게 이런 일이 일어날 수 있는지……."

　아흐로시모바 부인은 피에르에게 자세하게 설명했다. 부인의 이야기가 끝나도록 피에르는 아무 말도 할 수 없었다.

　'나타샤는 안드레이를 뜨겁게 사랑했어. 그런데 어떻게 바람둥이 아나톨리에게 빠져서 안드레이를 배신할 수 있지?'

　피에르는 이해할 수가 없었다.

　'여자들이란 모두 그런 걸까?'

　피에르는 아내 엘렌을 떠올렸다. 엘렌의 바르지 못한 행동 역시 피에르를 괴롭히고 있었다. 피에르는 아흐로시모바 부인과 함께 나타샤의 방으로 갔다.

　"나타샤, 아나톨리가 어떤 사람인지 피에르에게 물어 봐요. 내가 무슨 얘기를 해도 못 믿겠지만, 피에르의 말은 믿을 수 있겠지?"

아흐로시모바 부인은 퉁명스럽게 말했다.

나타샤는 아흐로시모바 부인과 피에르를 바라보았다. 피에르는 눈길을 피하면서 말했다.

"나타샤, 부인께서 뭐라고 하셨는지는 모르겠지만, 지금은 그 말이 사실인지 아닌지가 중요한 건 아닌 것 같군요."

"그럼 아나톨리가 결혼을 했다는 건 거짓말이죠?"

"아닙니다, 사실입니다."

"정말이요? 맹세할 수 있나요?"

"그렇고말고요. 맹세합니다."

그러자 나타샤는 실망한 듯 고개를 떨구었다.

"그런데 아나톨리는 아직 모스크바에 있나요?"

"네, 이리로 오다가 아나톨리를 만났습니다."

그 말을 듣자, 나타샤는 기운이 쑥 빠져 버렸다. 그녀는 손을 내저으며 말했다.

"혼자 있고 싶어요. 모두 나가 주세요."

피에르는 저녁식사를 하고 가라는 아흐로시모바 부인의 말도 사양하고 밖으로 나왔다. 아나톨리에 대한 분노를 느끼면서 그는 온 시내를 구석구석 뒤졌다. 그러나 아나톨리의 모습은 찾을 수가 없었다.

아나톨리는 돌로호프의 집에 있었다. 두 사람은 이번 일을 어떻게 수습해야 할지에 대해 상의하고 있었다. 아나톨리는 무슨 일이 있어도 나타샤를 만나야 한다고 생각했다.

그래서 그는 엘렌을 찾아갔다. 아나톨리와 엘렌이 이야기를 나누고 있을 때, 피에르가 돌아왔다.

피에르는 모스크바로 돌아온 후, 엘렌을 만난 적이 없었다. 그런데 그는 엘렌은 본 척도 하지 않고 아나톨리에게 다가갔다. 그러자 엘렌이 얼른 피에르에게 말했다.

"여보, 오빠가 얼마나 큰 어려움을 겪고 있는지 당신은 모를 거예요."

그러나 분노에 가득 찬 피에르의 얼굴을 본 엘렌은 그대로 입을 다물 수밖에 없었다.

피에르는 아나톨리에게 다가가서 팔을 꼭 잡았다. 엘렌은 두 사람이 싸우기라도 할까 봐 겁을 내며 바라보았다. 피에르는 아나톨리를 자기 서재로 데리고 갔다.

"다른 말은 하지 않겠네. 자네 정말 로스토프 백작의 따님을 데리고 도망치려고 했나? 결혼 약속이라도 하고 유혹했던 거야?"

"피에르, 내가 왜 그런 질문에 대답을 해야 하지? 별로 대답하고 싶지 않네."

아나톨리는 뚱한 표정으로 말했다.

"뭐라고? 수작 부리지 말라고!"

피에르는 아나톨리의 멱살을 잡고 벽에다 짓눌러 댔다.

"너는 사람도 아니야! 내가 지금 한 방 먹여 주고 싶은 걸 참고 있는 걸 다행으로 알라고! 다시 한 번 묻겠어. 나타샤와 결혼 약속을 했나?"

"그, 그런 약속은 하지 않았어."

"그래? 나타샤가 보낸 편지를 내놔 봐!"

아나톨리는 호주머니 속에서 편지를 꺼내 주었다.

"자, 이제 됐어. 당장 떠나!"

"내가 왜 떠나야 하지?"

"당장 모스크바를 떠나라고! 당장! 그리고 나타샤와의 일은 그 누구에게도 말하지 말게. 자네에게 양심이 남아 있다면 그런 짓은 하지 않겠지. 세상은 혼자 사는 게 아니야. 다른 사람의 행복이나 평화도 생각해 주어야 해. 자네가 한 짓은 정말 비열한 짓이야. 철모르는 소녀를 속이는 것은 갓난아기의 손을 꼬집는 것만큼 쉬워. 자네가 그런 걸 모를 리 없잖아?"

피에르의 말이 계속되는 동안 아나톨리는 그 비열한 성품을 드러내기 시작했다.

"나를 모욕하지 말게. 나는 명예로운 군인이야. 계속 그런 말을 하면 나도 가만있지는 않을 걸세."

"그럼 나하고 결투라도 하겠다는 건가?"

"아니, 동생의 남편과 결투를 할 수는 없지. 그 말을 취소하게. 그러면 나는 모스크바를 떠나 입을 다물고 살겠네."

"좋아, 취소하지. 자네가 원한다면 여비도 보태 주겠네."

그 말을 듣자 아나톨리는 싱긋 웃었다. 아내 엘렌에게서 곧잘 볼 수 있는 능글맞고 비열해 보이는 표정이었다.

"어휴, 정말 지겨운 사람들이야. 두 번 다시 보고 싶지 않아."

피에르는 짜증스럽게 말하고 서재를 나왔다.

다음 날, 아나톨리는 모스크바를 떠나 상트페테르부르크로 갔다. 피에르는 아나톨리가 떠났다는 말을 전하려고 아흐로시모바 부인의 집으로 갔다. 그런데 아흐로시모바 집에서는 큰 소동이 일어나고 있었다.

나타샤가 자살하려고 했던 것이다. 나타샤는 몰래 산 독약을 한밤중에 마셨다. 그러나 약을 조금 마셨을 때, 갑자기 두려워지기 시작했다. 그래서 나타샤는 소녀를 깨워 도움을 청했다. 소녀가 재빨리 응급 조치를 한 덕분에 나타샤는 무사할 수 있었다.

피에르는 나타샤를 만나지 못하고 돌아가야만 했다.

그 날 저녁, 피에르는 클럽에서 식사를 했다. 그런데 클럽에 있는 사람들은 나타샤와 아나톨리의 이야기를 하느라 정신이 없었다.

피에르는 얼른 나서서 말했다.

"아, 여러분들이 잘못 알고 계시는군요. 아나톨리가 나타샤에게 청혼을 했다가 퇴짜를 맞았는데, 소문이 잘못 났나 봐요."

"내가 들은 얘기는 그런 게 아니었어요. 나타샤가 아나톨리를 따라 도망가려고 했다던데……."

"하하하! 아나톨리는 내 처남이오. 그런데도 내가 잘못 알고 있겠소?"

피에르는 어떻게 해서든지 나타샤가 사람들의 손가락질을 받지 않도록 해 주어야겠다고 생각했다. 그렇게 하는 것이 자기의 의무인 것만 같았다.

며칠 후, 안드레이가 모스크바로 돌아왔다.

마리아는 안드레이에게 나타샤의 편지를 전해 주었다. 결혼을 최소하겠다며 보낸 편지였다. 그리고 안드레이의 아버지 볼콘스키 공작 역시 상당히 과장되게 이야기를 늘어놓았다.

피에르는 무척 걱정하며 안드레이의 집을 찾아갔다. 안드레이도 나타샤처럼 이성을 잃을 것만 같았기 때문이었다. 그런데 놀랍게도 안드레이는 무척 침착했다. 피에르가 도착했을 때, 안드레이는 볼콘스키 공작과 정치 이야기를 하고 있었다.

마리아는 피에르에게 말했다.

"오빠도 이렇게 되리라고 생각했던 것 같아요. 물론 많이 힘들겠지요. 그렇지만 힘든 감정을 드러내는 건 오빠의 자존심이 허락하지 않아요. 오빠는 충격을 잘 참고 있어요."

"그렇다면 두 사람 사이는 모두 끝났다는 말입니까?"

그러자 마리아는 놀라서 피에르를 쳐다보았다. 좀 의아해하는 표정이었다.

안드레이는 피에르를 데리고 서재로 갔다. 서재에는 안드레이의 짐이 어지럽게 널려 있었다.

안드레이는 트렁크에서 작은 상자 하나를 꺼냈다. 그리고 그 속에서 편지를 꺼냈다. 그것은 나타샤가 안드레이에게 보낸 사랑의 편지들이었다.

"피에르, 난 나타샤에게 파혼을 당했어. 그리고 자네 처남 아나톨리가 나타샤에게 청혼했다는 얘기도 들었어. 그게 사실인가?"

"사실이라면 사실이고, 아니라면……."

"됐네. 더 이상 말하지 말게."

안드레이는 피에르의 말을 막으며 상자를 건네 주었다.

"이 상자를 나타샤에게 전해 주게. 상자 안에는 나타샤의 초상화도 들어 있어. 나타샤를 만날 기회가 있으면 주게."

"안드레이, 나타샤는 지금 많이 아프다네."

"그럼 아직 모스크바에 있단 말이야? 아나톨리는?"

"아나톨리는 모스크바를 떠났지. 나타샤는 죽을 뻔했어."

"가엾군."

안드레이는 쌀쌀맞게 말했다. 이제 나타샤의 이야기를 듣는 것조차도 불쾌한 듯했다.

"피에르, 나타샤에게 가거든 내 말 좀 전해 주게. 그녀는 약혼 중일 때도 자유로웠고, 지금도 변함없다고 말이야. 그리고 내가 행복을 빌고 있다고 전해 줘."

"알았네. 그렇게 전하지. 그런데 나타샤를 용서해 줄 생각은 없나?"

"피에르, 자네가 내 친구라면 두 번 다시 나타샤 이야기를 하지 말게. 그럼 잘 가게."

볼콘스키 공작의 집을 나온 피에르는 아흐로시모바 부인의 집으로 갔다. 나타샤는 몹시 창백하고 여위어 있었다. 응접실 한가운데에 서 있던 나타샤는 멍한 표정으로 피에르를 바라보았다.

"피에르, 당신은 안드레이와 친하지요?"

그녀는 몹시 괴로운 듯이 숨을 헐떡거리며 물었다.

"안드레이는 외국으로 떠나기 전에 무슨 일이든 당신과 상의하라고 했어요."

그 모습을 보자, 피에르는 나타샤가 몹시 가여워졌다. 조금 전까지만 해도 그녀를 욕하고 싶었는데, 지금은 그런 감정이 모조리 사라져 버렸다.

"피에르, 안드레이는 지금 모스크바에 있죠?"

"네. 얼마 전에 돌아왔어요."

"안드레이에게 전해 주세요, 저를 용서해 달라고……."

"그렇지만……."

"그래요, 저도 알아요. 모든 건 끝났어요. 그렇지만 제가 그분의 용서를 바라고 있다는 것만 전해 주세요."

나타샤는 무너져 내리듯이 소파에 푹 엎드렸다. 피에르는 그녀의 슬픔을 함께 나누고 싶었다. 그는 떨리는 목소리로 나타샤에게 말했다.

"나타샤, 꼭 전할게요. 너무 슬퍼하지 말아요. 당신에게 한 가지 부탁이 있어요. 나를 당신의 친구로 여겨 주지 않겠어요? 당신에게 도움이 되고 싶어요. 마음을 털어놓고 싶은 일이 생기면 언제든지 나를 찾아 주세요."

"피에르, 고맙지만 그런 말씀은 하지 마세요. 전 그럴 자격이 없어

요."

나타샤는 곧 응접실을 나가려고 몸을 돌렸다. 그러나 피에르는 나타샤를 붙잡고 말했다.

"나타샤, 그렇지 않아요. 왜 벌써부터 그런 생각을 하세요? 당신의 인생은 이제 시작인걸요."

"아니에요. 제 인생은 끝났어요."

"나타샤, 내가 만일 세상에서 가장 잘생기고 머리가 좋은 남자라면, 그리고 아직 결혼을 하지 않았다면 당신에게 무릎을 꿇고 사랑을 구했을 거예요."

피에르의 말을 듣자, 나타샤의 두 뺨에는 눈물이 흘러내렸다. 피에르에게 너무나 고마워서 흘리는 눈물이었다. 그러나 나타샤는 고마운 마음을 표현하지 못하고 밖으로 뛰어나갔다.

피에르는 아흐로시모바 부인의 집을 나와 마차에 올랐다.

"어디로 갈까요?"

"집으로 갑시다."

마차는 집을 향해 천천히 달렸다.

영하 20도의 매서운 추위였지만, 피에르는 외투의 단추도 잠그지 않은 채였다. 기쁨에 들떠 추위도 느끼지 못했기 때문이었다. 피에르는 맑게 갠 하늘에 반짝이는 별들을 우러러보았다.

광장을 지날 무렵, 저 먼 하늘을 혜성이 가로질러 가고 있었다. 피에르는 혜성을 바라보며 생각했다.

"저 별이 나를 새로운 세상으로 데려다 줄 거야. 새로운 세상으로……."

전쟁터를 향해

1812년 5월 말, 나폴레옹은 러시아를 향해 군대를 출발시켰다. 프랑스 군이 포젠, 단치히, 쾨니히스베르크 등의 도시를 지날 때마다 사람들은 그들을 열렬히 환영해 주었다.

6월 중순, 프랑스 군은 폴란드의 네만 강을 건넜다. 폴란드의 병사들이나 농민들에게는 잿빛 프록 코트를 입고 서러브레드 종 말을 탄 나폴레옹은 영웅처럼 보였다.

프랑스 군이 네만 강을 건너 러시아의 국경을 돌파한 그 날, 러시아의 알렉산드르 황제는 어느 무도회에 참석했다. 시종 무관들이 베푼 무도회였는데, 귀부인들이 많이 모였으며 무척 화려했다.

자정 무렵까지도 춤은 계속되었다. 무도회에 참석한 사람들은 즐거운 표정으로 폴란드 춤인 마주르카를 추고 있었다.

그 때, 시종 무관 바라세프가 알렉산드르에게 다가와 속삭였다. 그러자 알렉산드르는 무척 놀라며 바라세프를 데리고 정원으로 나갔다.

알렉산드르는 바라세프에게 무척 흥분한 목소리로 말했다.

"선전 포고도 하지 않고 쳐들어오다니! 우리 땅에 무장한 적군이 한 놈이라도 남아 있다면 나는 강화를 하지 않겠다!"

그런데 정원에 나갔던 보리스가 그 말을 듣게 되었다. 함께 춤을 출 사람을 찾던 보리스 역시 정원으로 나갔던 것이다. 그는 나타샤의 첫사랑의 상대였던 바로 그 사람이다. 우연히 알렉산드르의 말을 듣게 된 보리스는 그 자리에 우뚝 멈춰 서서 어쩔 줄을 모르고 있었다.

알렉산드르는 곧 자신의 말을 자신의 신하가 아닌 다른 사람이 들었다는 사실을 알게 되었다. 그는 얼굴을 찡그리며 바라세프에게 말했다.

"내가 한 말은 다른 그 누구에게도 새어 나가서는 안 된다!"

그것은 보리스에게 한 말이었던 것이다.

보리스는 이렇게 프랑스 군이 네만 강을 건넜다는 정보를 알게 되었다. 그 덕분에 그는 여러 고관들에게 자신은 비밀 정보를 정확히 알고 있다는 표정을 지어 보일 수 있었다. 그래서 전에는 후원자도 없고 별 볼일 없는 청년 귀족이었던 그가, 고관들로부터 높은 평가를 받는 인물이 될 수 있었다.

그날 밤, 알렉산드르는 나폴레옹에게 보내는 친서를 써서 바라세프에게 주었다. 바라세프는 네만 강변에 있는 프랑스 진영으로 갔고, 얼마 후에는 나폴레옹이 머무는 윌리나이 궁전에 안내되었다.

나폴레옹은 승마복차림으로 알현실로 들어왔다.

"나는 전쟁을 바라지 않는다. 그것은 알렉산드르 황제도 마찬가지 아니겠는가?"

"그렇습니다."

"강화를 맺는 데 있어서 러시아가 원하는 것은 무엇인가?"

"네만 강 건너편 기슭까지만 프랑스 군을 물려 주시기를 원합니다."

나폴레옹은 대답을 하지 않고, 방 안을 왔다갔다했다. 그의 표정이 점점 굳어 갔다.

"나는 그 조건에 찬성할 수 없다. 러시아가 상트페테르부르크와 모스크바를 넘겨 준다고 해도 말이다! 전쟁을 걸어 온 것은 바로 러시아다. 러시아와 영국은 동맹을 맺었지만 정세는 좋지 않아 보이더군. 그래서 우리와 강화를 하자는 게 아닌가? 그렇다면 영국과 동맹을 맺은 이유는 무엇인가?"

나폴레옹의 얼굴에 미소가 떠올랐다.

"내가 알고 있는 것을 말해 볼까? 지금 러시아의 병력은 20만이 못 된다. 그렇지만 우리는 50만을 넘어섰지. 그리고 우리에게도 동맹군이 있어. 폴란드 군의 병력은 18만뿐이지만, 용감하게 잘 싸워 주고 있단 말이야."

바라세프는 나폴레옹의 당당한 태도에 기가 죽어서 아무 말도 할 수 없었다. 나폴레옹은 바라세프와 함께 식사를 하기로 했다.

"모스크바는 인구가 얼마나 되지? 교회는 많은가?"

나폴레옹의 물음에 바라세프는 교회가 2백 군데 이상이라고 대답했다.

"무척 많군."

"러시아 사람들은 신앙심이 무척 두텁답니다."

"그건 아니라고 생각하네. 교회나 수도원이 많다는 것은 그만큼 사람들의 머리가 뒤떨어졌다는 거야."

"그렇지만, 어느 나라에나 그 나라만의 전통이 있지 않습니까?"

"유럽에서는 그런 것을 찾아볼 수 없다고!"

마음이 상한 바라세프는 나폴레옹에게 말했다.

"러시아 외에 스페인에도 교회와 수도원이 많다고 들었습니다."

얼마 전에 프랑스 군이 스페인 군에게 참패한 사실을 빈정거리려고 일부러 그렇게 말한 것이었다. 나중에 상트페테르부르크에 와서 이렇게 말한 사실을 알리자, 사람들은 모두 기뻐하며 바라세프를 칭찬했다.

바라세프는, 자신의 힘을 드러내려는 나폴레옹의 답장을 가지고 알렉산드르에게 돌아왔다.

이제는 협상할 필요도 없이 전쟁이 시작될 수밖에 없게 되었다.

피에르에게 나타샤의 이야기를 들은 안드레이는 상트페테르부르크로 향했다. 아나톨리와 결투를 할 생각이었던 것이다.

그러나 안드레이의 마음을 눈치챈 피에르는 급히 아나톨리에게 이 사실을 알렸다. 안드레이가 상트페테르부르크에 도착했을 때는 이미 아나톨리가 떠난 후였다. 아나톨리의 아버지 쿠라긴 공작이 육군 장관에게 부탁해서 아나톨리를 터키에 있는 러시아 주둔군에 들여보냈던 것이다.

안드레이는 아우스터리츠에서 전투할 때의 상관이었던 쿠투조프 장군이 지휘하는 총사령부 요원으로 임명되었다. 그래서 그는 장군을 따라 아나톨리가 있는 터키로 갈 수 있었다. 그렇지만 터키에서도 아나톨리를 만날 수는 없었다. 안드레이가 온다는 사실을 알게 된 아나톨리가 다시 러시아로 돌아갔던 것이다.

안드레이는 군생활을 하면서 상처받은 마음을 달래려고 했다. 그는 아나톨리에 대한 감정은 모두 묻어둔 채, 군생활에만 몰두했다. 러시아와 프랑스의 전쟁이 시작되었다는 소식을 듣게 되자, 안드레이는 쿠투조프 장군에게 본국으로 보내 달라고 부탁했다.

러시아 전선으로 가는 길에 안드레이는 스몰렌스크 근처에 있는 아버지를 찾아갔다. 전쟁 중이었지만 집안은 달라진 게 아무것도 없었다. 나타샤와의 일 때문에 마음이 상한 아버지는 여전히 안드레이를 차갑게 대했다. 마리아는 여전히 종교 생활에 빠져 있었다.

오직 니콜렌카만이 알아보지 못할 만큼 자라 있었다. 니콜렌카는 죽은 아내처럼 윗입술을 쳐들면서 웃고 까불었다. 그렇지만 안드레이는 아들에게서 정을 느낄 수 없었다.

안드레이는 집에 오래 머무를 수가 없었다. 마음속에 남아 있는 아나톨리에 대한 분노를 해결하고 싶었기 때문이었다. 하루빨리 아나톨리와 결투를 한 후, 모든 일을 끝내고 싶었다.

안드레이는 서둘러 전쟁터로 나갈 준비를 했다.

"오빠, 아버지에게 한 번만이라도 웃는 모습을 보이고 떠나세요. 만약 오빠가 돌아오지 못한다면, 아버지는……."

"그래, 알았어."

안드레이는 마리아의 어깨를 두드리며 대답했다.

"오빠, 지금 오빠의 마음이 어떨지 잘 알아요. 하지만 불행은 사람의 뜻이 아니라 하느님의 뜻에 따라 결정되는 거예요. 그러니까 그 사람에게는 죄가 없어요. 사람은 하느님의 도구일 뿐이니까요. 그 사람을 용서하세요. 우리에게는 벌을 내릴 권리가 없어요."

"마리아, 난 절대 그 일을 잊을 수가 없어. 그를 용서할 수도 없고, 그래서도 안 돼."

"오빠, 사람에게는 아무 잘못도 없어요. 불행은 하느님이 내리시는 거예요. 제 말을 꼭 기억하세요!"

마리아는 마지막으로 간절하게 말했다.

니콜라이

휴가를 마치고 돌아간 니콜라이는 그가 소속되어 있는 경기병 연대와 함께 폴란드까지 나아갔다.

어느 날 밤, 니콜라이의 중대가 보리밭 속에서 쉬고 있을 때, 폭풍우를 만나게 되었다. 니콜라이는 좀처럼 잠을 이룰 수가 없었다.

새벽이 되자, 공격 명령이 내려졌다. 니콜라이는 준비를 서둘렀다. 니콜라이가 이끄는 경기병들은 보병이나 포병의 뒤를 따라 앞으로 나아갔다.

행군의 대열은 첨벙거리는 말발굽 소리와 짤까닥거리는 사벨(군인이 허리에 차는 긴 칼) 소리와 함께 자작나무 가로수길을 지나갔다.

니콜라이는 부대의 말을 타지 않고 자신이 사 온 카자흐 말을 타고 있었다. 이 말을 타는 것은 니콜라이에게 큰 즐거움이었다. 늠름한 카자흐 말의 모습이나 굳센 다리의 힘은, 그 어느 말과 비교할 수가 없었다.

눈부신 햇살 사이로 대포 소리가 울려 퍼졌다. 니콜라이의 중대는 명령을 받고, 비탈길을 달려 내려갔다. 사람들이 빠져 나간 마을을 지나 다시 언덕길로 올라갔다. 높은 진지까지 올라가자, 니콜라이는 창기병들 뒤에 자신의 중대를 세웠다. 포병 진지에서는 포격이 시작되었다.

그 때, 전방에서 날카로운 명령이 떨어졌다.

"돌격 준비!"

창기병들은 창 끝에 매달린 군기를 펄럭이면서, 저 언덕 아래에 나타난 프랑스 용기병들에게로 달려 내려갔다. 니콜라이가 이끄는 경기병들은 창기병들을 보호하기 위해 언덕 쪽으로 이동했다. 총알이 마구 날아왔지만, 먼 거리 때문에 한 발도 명중되지 않았다.

총알 소리를 듣자, 니콜라이는 흥분하기 시작했다. 그는 눈을 크게 뜨고 언덕 아래를 바라보았다. 창기병들이 프랑스의 용기병들에게 다가가고 있었다. 하지만 5분쯤 지나자 러시아의 창기병들은 후방으로 물러났다. 그 뒤로 프랑스의 용기병들이 잽싸게 뒤쫓아오고 있었다.

'그래, 지금 우리 경기병들이 적군을 공격하면 무너뜨릴 수 있을 거야.'

니콜라이는 말을 타고 중대 앞으로 다가갔다. 그러나 그가 명령을 내리기도 전에 중대원들은 움직이기 시작했다. 모두들 니콜라이와 같은 생각을 했던 것이다.

니콜라이는 부대의 명령도 듣지 않고 자신이 왜 이런 행동을 하게 됐는지 알 수 없었다. 그는 사냥이라도 하는 듯한 기분으로 그랬는지도 모른다. 니콜라이는 말을 몰고 언덕 아래로 달렸다. 그리고 늑대가 먹이를 놓치지 않으려고 길을 가로막는 것처럼 프랑스의 용기병 앞으로 다가갔다.

프랑스 용기병들은 말을 돌려 달아나기 시작했다. 그러나 니콜라이는 적군 한 명을 목표로 따라갔다. 그는 프랑스 군의 장교로 보였다. 사벨을 채찍 삼아 열심히 말을 몰아 대던 그 프랑스 군은 곧 니콜라이의 말과 부딪쳤다. 그 바람에 니콜라이의 말은 발이 걸려 넘어질 뻔했다.

그 때, 니콜라이는 칼을 휘둘렀다. 그 프랑스 군은 팔꿈치에 상처를 입고 말에서 떨어지고 말았다.

니콜라이는 그 프랑스 군의 모습을 살피고는 그를 향해 다시 한 번 칼을 빼들었다. 그러자 프랑스 군이 소리쳤다.

"항복하겠소!"

니콜라이의 중대원들은 프랑스 군을 포로로 끌고 후방으로 물러갔다. 니콜라이는 어쩐지 그 프랑스 군이 마음에 걸렸다. 전쟁에는 어울리지 않는 순진함이 보였던 것이다.

니콜라이는 게오르기 십자상을 받게 되었다. 명령 없이 공격을 하긴 했지만, 사령관은 니콜라이가 용감하고 훌륭한 행동을 했다고 생각했기 때문이었다.

그러나 니콜라이는 쓴웃음을 지을 수밖에 없었다.

'내가 조국을 위해 행동했던 것일까?'

니콜라이는 그 프랑스 군을 떠올렸다.

'그는 내가 자신을 죽일 거라고 생각했겠지? 하지만 내가 그를 죽일 이유는 없어. 그 때 칼을 든 내 손은 이상하게도 떨리고 있었어. 그런데도 용감한 군인의 상징인 게오르기 십자상을 받다니⋯⋯.'

로스토프 백작의 막내아들 페차

니콜라이가 열심히 싸우고 있을 때, 모스크바에 있는 나타샤는 병이

점점 심해졌다. 제대로 먹지도 자지도 않아서 몸은 바싹 말랐고, 기침도 심하게 했다.

로스토프 백작 부인은 딸의 건강이 염려되어서 막내아들 페차와 함께 모스크바로 왔다. 식구들이 많아지다 보니 아흐로시모바 부인의 집에 머물 수가 없게 되었다. 그래서 로스토프 백작 가족은 교외에 있는 별장으로 옮겨가 살기로 했다.

매일 의사들이 찾아와서 나타샤를 살폈지만, 아무 소용이 없었다. 나타샤의 병은 마음의 상처에서 비롯된 것이기 때문이었다. 하지만 시간이 지나자 나타샤는 점점 기운을 차리게 되었다. 1주일 동안 참회 기도를 드린 나타샤는, 다시 전처럼 살 수 있을지도 모른다는 희망을 갖게 되었다.

그러나 나타샤는 전처럼 밝게 지내지는 못했다. 그러다 보니 가족들과는 점점 멀어지게 되었지만, 동생 페차와는 함께 있는 걸 좋아했다. 페차와 있을 때에는 전처럼 큰 소리를 내며 웃기도 했다.

페차는 나타샤가 무척 가여웠다. 그래서 어릴 때 나타샤와 재미있게 놀던 이야기를 하며 누나를 기분 좋게 해 주려고 애썼다.

페차와 이야기를 나누던 나타샤가 갑자기 일어나 노래를 불렀다. 그러나 잠시 후 노래를 멈출 수밖에 없었다.

"누나, 나도 함께 부를게. 더 들려 줘."

"숨이 차서 부를 수가 없어. 얘기나 하자."

나타샤는 페차 옆으로 와서 니콜라이 이야기를 꺼냈다.

"오빠는 돌아올 생각이 없나 봐. 어머니 건강도 안 좋고, 나도 많이 아프니까 어서 제대해서 돌아오라고 아버지가 편지를 보내셨대. 그런데 아무 소식도 없구나."

"그, 그래."

페차는 가족의 병 때문에 전쟁터에 나가 있는 사람을 부른다는 것에 찬성할 수 없다고 생각했지만, 나타샤에게 그렇게 말할 수는 없었다. 나타샤에게 좋지 않을 것 같았기 때문이었다.

페차는 얼른 화제를 돌렸다.

"누나, 니콜라이 형님이 좋은 말을 구했대. 편지에 자랑을 했더라고!"

"그래? 오빠는 말에 대해서 잘 아니까 훌륭한 말을 구했을 거야."

"난 형님이 말을 타고 달리는 모습을 보고 싶어."

"나도 그래."

나타샤는 페차가 자기를 위로하기 위해서 이런저런 이야기를 한다는 것을 알고 있었다. 어린 동생의 고운 마음씨를 그녀는 무척 고마워했다. 그래서 기분 좋게 이야기를 듣는 사이에 그녀는 저도 모르게 말이 많아졌다. 또 큰 소리로 웃기까지 했다. 나타샤는 다시 일어나 노래를 시작했다. 페차는 작은 목소리로 노래를 따라 불렀다.

그 때, 피에르가 찾아왔다. 그는 여전히 사교계에 나갔고, 취하도록 술을 마시기도 했다. 지금의 생활에서 벗어나고 싶어했지만, 쉽게 털어 버리지 못하고 있었다.

"아, 누가 이렇게 노래를 부르나 했네요."

"피에르, 오늘은 기분이 무척 좋아요. 그래서 페차와 이야기도 많이 하고 노래도 부르고 있었어요."

"정말 다행이네요. 페차, 잘 있었니?"

"안녕하세요!"

페차는 피에르를 무척 반가워했다.

로스토프 백작은 매주 일요일에 친한 사람들을 초대해서 점심을 대접하곤 했다. 그래서 피에르도 초대를 받고 왔던 것이다.

세 사람이 한참 웃고 떠들고 있는데 응접실에서 하인이 피에르를 부르러 왔다. 피에르가 나가려고 하자, 페차가 그를 불러 세웠다.

"아저씨, 드릴 말씀이 있어요. 누나, 나 아저씨하고 할 얘기가 있어. 그러니까 누나 먼저 들어가."

나타샤가 응접실로 가자, 페차는 심각한 얼굴로 피에르에게 말했다.

"아저씨, 저, 전에 말씀드린 거 어떻게 됐어요?"

"경기병에 지원한다는 것 말이냐? 오늘은 꼭 말해 주마."

"아저씨, 이건 아무에게도 말하지 않은 사실인데요. 저는 대학에 가지 않고 경기병이 되기로 했어요."

"뭐라고?"

"지금 제가 경기병이 될 수 있는지 알아봐 주세요."

피에르는 방 안을 왔다갔다하며 생각에 잠겼다. 잠시 후, 피에르는 페차에게 말했다.

"페차, 다시 한 번 생각해 보렴."

"지금까지 많이 생각해 봤어요."

"그렇지만 너는 아직 어려. 그리고 지금 네 형이 집에 없으니 아버지와 어머니를 지켜 드려야지. 니콜라이가 언제 돌아올지 알 수 없잖아."

"아저씨, 어머니 몸이 약한 것과 나타샤 누나의 건강이 나쁜 것은 큰 문제가 아니에요. 나는 남자답게 전쟁터에 나가고 싶단 말이에요."

"넌 아직 어린애야. 네가 지금 전쟁터에 나간다면 오히려 도움을 받아야 할지도 몰라. 전쟁터에는 대학을 졸업한 후에 나가도 늦지 않아. 제발 다시 한 번 생각해 봐. 나도 너를 위해서 잘 생각해 볼게."

"네, 알았어요."

그 날 초대받은 손님은 피에르와 쉰쉰, 두 사람이었다. 로스토프 백작이 피에르에게 물었다.

"피에르, 내가 부탁한 것은 가져왔겠지?"

"네, 걱정 마십시오."

피에르는 로스토프 백작의 부탁을 받고, 전날 황제가 모스크바 시민들에게 발표한 조칙과 일선에서 온 정보를 모스크바 총독에게 얻어 왔다.

"제가 조칙을 받으려고 총독에게 가 있는데 일선에서 사람이 급히 왔어요. 그는 군인들이 부모에게 보내는 편지가 가득 든 포대를 들고 있었지요. 나는 그의 짐을 좀 덜어 주려고 포대 안을 살폈지요. 그랬더니 그 안에 니콜라이의 편지가 있지 않겠어요? 또 부상자, 전사자, 훈장 수여자에 대한 보고도 많이 있었어요."

"뜸들이지 말고 어서 요점만 말해 주게."

로스토프 백작은 피에르에게 말했다.

"네, 오스트로브나 싸움에 대한 공로로 니콜라이가 게오르기 십자상을 받게 되었다는 소식이 있었습니다."

그 소식을 들은 로스토프 백작 가족은 무척 기뻐했다. 쉰쉰 또한 함께 기뻐했다. 피에르는 빙그레 웃으며 나타샤에게 니콜라이의 편지를 건네 주었다. 나타샤와 페차는 서로 빼앗으려고 하면서 소리지르고 웃어 댔다.

한동안 기뻐하던 백작은 피에르에게 말했다.

"이제 조칙을 좀 볼까?"

피에르는 주머니에서 서류를 꺼냈다. 로스토프 백작은 소냐에게 조칙을 읽도록 했다.

소냐는 조칙을 읽기 시작했다.

우리의 옛 수도 모스크바에 알린다. 적은 대군을 이끌고 러시아 국경으로 침입했다. 적은 우리의 사랑하는 조국을 멸망시키려고 침입을 계속하고 있다.

소냐는 낭랑한 목소리로 열심히 읽었다. 로스토프 백작은 눈을 감은 채 듣고 있었다. 나타샤는 아버지와 피에르를 번갈아 가며 보았다. 그러나 피에르는 나타샤가 자신을 보고 있다는 것을 알고, 그녀를 보지 않으려고 했다. 페차는 한눈 팔지 않고 열심히 들었다.

소냐는 진지하게 마지막 구절을 읽었다.

나는 모스크바와 다른 도시에 사는 국민들에게로 달려갈 것이다. 우리 군대와 함께 힘을 합해서 아무리 많은 적이 달려오더라도 쳐부수고 말 것이다. 그리하여 적이 우리에게 내리려는 멸망을 그들의 머리 위에 내려 러시아의 이름을 빛나게 할 것이다!

소냐의 낭독이 끝나자, 백작은 무척 흥분해서 소리쳤다.
"폐하의 말씀만 있다면 우리는 희생해야 한다. 아까울 것은 아무것도 없다."
쉰쉰은 백작을 비꼬듯이 말했다.
"애국자로군요!"
그러나 백작은 아랑곳하지 않고 말했다.
"폐하의 조칙만 있다면 우리는 나가는 거야."
그 때, 페차가 아버지에게 달려갔다.
"아버지, 제 생각을 말씀드릴게요. 더 이상 이렇게 참을 수 없어요. 저를 군대에 보내 주세요."

"뭐라고? 이런 바보 같은 놈! 너는 공부나 해!"

"아버지, 지금 같은 기분으로는 공부를 할 수 없어요. 아버지도 조국을 위해 희생해야 한다고 말씀하셨잖아요?"

"쓸데없는 소리 하지 마! 너처럼 어린애가 무슨 전쟁에 나간단 말이냐?"

로스토프 백작은 조칙을 가지고 밖으로 나가며 피에르에게 말했다.

"피에르, 나가서 한 대 피울까?"

곤란한 듯이 로스토프 백작과 페차를 번갈아 바라보던 피에르는 내키지 않는 목소리로 말했다.

"아, 아닙니다. 전 그만 집으로 돌아가겠습니다."

"오늘은 늦게까지 있겠다고 하지 않았었나? 우리에게 뭐 섭섭한 일이라도 있나? 요즘은 통 들르지도 않고……."

"죄송합니다. 볼일이 있는 걸 깜빡 잊고 있었습니다."

백작 부인과 나타샤도 피에르를 붙잡았지만, 피에르는 페차 쪽은 보지 않으면서 밖으로 나갔다.

마리아와 니콜라이

1812년 8월, 프랑스 군은 스몰렌스크까지 쳐들어가기로 했다. 스몰렌스크는 모스크바로 들어가는 문이라고 할 수 있는 도시였다.

이 도시에서 조금 떨어진 모스크바 국도 옆에는 볼콘스키 공작의 영지와 저택이 있었다. 안드레이가 어린 시절을 보낸 곳이기도 했다.

볼콘스키 공작은 몸이 몹시 약해져서 대부분의 시간을 서재에서만 보냈다. 가끔 마당에 나와 저택을 손질하거나 뜰을 돌보는 것이 그가 할 수 있는 일이었다.

마리아의 생활에도 변화는 없었다. 니콜렌카의 공부를 봐 주며 한나절을 보내고, 남은 시간에는 책을 읽었다. 그리고 가끔씩은 순례자들과 이야기를 나누기도 했다.

요즘 들어 볼콘스키 공작은 자신의 주변을 하나하나 정리하기 시작했다. 그 뒷정리에 필요한 등기 수속을 하기도 하고, 유언장의 용지와 봉투, 그밖의 일용품들을 사들이기도 했다.

볼콘스키 공작은 안드레이에게서 온 편지를 읽었다. 그리고 집사 알파티치에게 말했다.

"프랑스 군이 스몰렌스크로 들이닥칠지도 몰라. 아니면 이미 들어와 있는지도 모르지. 그러니까 위험할 것 같으면 얼른 돌아오라고 해!"

"네, 알겠습니다."

다음 날 아침 알파티치는 스몰렌스크를 향해 출발했다. 저녁 무렵 도착한 그는 드네프르 강가에 있는 단골 여관에서 묵기로 했다.

날이 밝자, 알파티치는 볼일을 보려고 시내로 갔다. 그런데 멀리서 대포 소리와 총소리가 들려왔다. 프랑스 군이 스몰렌스크를 공격하기 시작했던 것이다.

사람들은 피난을 떠나려고 거리로 쏟아져 나왔다. 알파티치는 서둘러 등기 수속을 마치고 필요한 물품들을 샀다. 그리고 급히 드네프르 강으로 달려갔다.

강으로 내려가는 언덕에는 많은 피난민들이 몰려들고 있었다. 알파티치가 그 광경을 보고 있을 때, 안드레이가 다가왔다.

"자네가 여기엔 무슨 일로 왔는가?"

"네, 공작님의 심부름을 왔다가 돌아가는 길입니다. 그런데 이제 러시아는 틀린 건가요?"

안드레이는 아무 말 없이 서 있다가 수첩을 꺼내 무엇인가를 쓰기 시작했다.

　　마리아, 스몰렌스크는 이제 곧 무너질 것이다. 그러면 적들은 그
곳까지 쳐들어갈 거야. 그러니 어서 모스크바로 떠나거라.

안드레이는 수첩을 찢어서 알파티치에게 주었다.
"어서 이것을 마리아에게 전해 주게."

얼마 후, 러시아 군은 스몰렌스크에서 물러가게 되었다. 안드레이는
기병 연대를 이끌고 모스크바로 가다가, 자신의 영지 가까운 곳에 다
르게 되었다.
안드레이는 가족들이 모두 피난을 떠났다는 것은 알고 있었지만, 문
득 저택이 그리워졌다. 그래서 그는 혼자 떨어져서 자기 저택 쪽으로
갔다.
저택에 도착해 보니, 사람의 모습은 찾아볼 수가 없었다. 잡초는 무성
하게 자라 있었고, 송아지 한 마리만 정원을 뛰어다니고 있었다. 건물의
창문은 모두 닫혀 있고, 아래층 창문 하나만 열려 있었다.
그 때, 알파티치가 숨을 헐떡이며 달려왔다.
"아이고! 잘 오셨습니다."
"혼자 집을 지키느라 수고가 많았네."
안드레이가 위로하자, 알파티치는 안드레이의 발 밑에 엎드려 울음을
터뜨렸다.
"그런데 오다 보니까 사람들이 보이지 않던데 모두 피난을 떠난 건
가?"
"네, 올해는 풍년이었습니다. 그렇지만 적들이 모두 빼앗아 갔어요.

그래서 사람들은 길에서 멀리 떨어진 마을로 이사를 가 버렸어요. 이곳은 길과 가까워서 안심할 수가 없거든요."

"음, 그렇군."

안드레이는 고개를 끄덕이며 저택을 둘러보았다. 온실의 유리는 깨졌고, 화분에 심었던 나무들은 나동그라져 있었다.

"알파티치, 어쩌면 이것이 내가 태어난 집을 마지막으로 보는 것이 아닌지 모르겠어. 내가 살아 돌아와서 이 집을 다시 볼 수 있을까? 그런데 자네는 어떻게 할 셈인가? 어서 피난을 가게!"

"아닙니다. 하느님께서 이 몸을 지켜 주시니, 무슨 일이 생긴다 하더라도 그건 하느님의 뜻이겠지요."

알파티치는 엄숙한 표정으로 하늘을 우러러보았다.

"그래, 그럼 몸조심하고 잘 있게."

안드레이는 말을 타고 길을 떠났다. 뭐라고 말할 수 없는 이상한 기분이었다. 알파티치는 눈물을 흘리며 안드레이의 뒷모습을 바라보았다.

사실 볼콘스키 공작과 마리아는 모스크바로 떠나지 못했다.

처음에 볼콘스키 공작은 전쟁에 관심이 없었다. 그러나 바로 적들의 공격이 시작되자, 볼콘스키 공작은 전혀 다른 사람이 되었다.

그는 마을 농민들과 하인들을 모아서 무장시켰다. 그리고 자신은 영지에 남아서 적을 막을 것이라며 총사령관에게 편지를 보냈다. 그리고 마리아에게는 니콜렌카를 데리고 모스크바로 떠나라고 명령했다. 그렇지만 마리아로서는 늙은 아버지를 혼자 두고 떠날 수가 없었다. 마리아는 하인에게 니콜렌카를 모스크바로 데려가도록 했다.

다음 날, 볼콘스키 공작은 총사령관을 만나러 가려고 마차를 준비시켰다. 그는 가슴 가득 훈장이 달린 옷을 입고, 무장한 농민들과 하인들에게 호령하고 있었다. 마리아는 방 안 창 옆에 걸터앉아 그 모습을 지켜보고 있었다.

그런데 갑자기 볼콘스키 공작의 말이 끊어지더니, 대여섯 명의 사람들이 이쪽으로 달려오는 것이었다.

'무슨 일이지?'

놀란 마리아는 현관으로 뛰어나갔다. 사람들이 몸집이 작은 아버지를 부축해서 달려오고 있었던 것이다. 마리아는 얼른 아버지 곁으로 달려갔다.

볼콘스키 공작은 마리아를 보더니 입술을 움직였다. 그러나 아무 소리도 나오지 않았다. 조금 전까지만 해도 기운이 넘치던 볼콘스키 공작이, 창백한 얼굴로 맥이 빠져 있었다.

그 때부터 볼콘스키 공작은 오른쪽 몸을 움직이지 못하는 반신불수가 되었다. 마리아는 조금 떨어진 영지에 있는 저택으로 아버지를 옮겼다. 그 저택은 안드레이를 위해 세워진 것이었는데, 전나무와 자작나무 숲으로 둘러싸인 큰 건물이었다.

이것이 바로 안드레이가 집에 들르기 3일 전의 일이었다.

볼콘스키 공작의 병은 좋아지지도 나빠지지도 않은 채 3주일이 지났다. 의사들은 모두 고개를 내저었다.

그러는 동안 그 마을도 위험에 빠지게 되었다. 적들이 쳐들어온 것이다. 마리아는 아버지를 모시고 모스크바로 떠나기로 결정했다. 그녀가 준비를 하고 있을 때, 하녀가 소리를 질렀다.

"아가씨! 큰일났어요. 공작님께서……."

마리아는 허겁지겁 공작의 방으로 달려갔다. 그러나 공작은 이미 세상을 떠난 후였다. 마리아는 모든 것이 거짓말 같았다.

'아버지가 돌아가시다니……. 이럴 수는 없어.'

　마리아는 아버지의 **뺨**에 입술을 가져다 댔다. 그러나 얼른 물러날 수밖에 없었다. 조금 전까지만 해도 아버지에 대한 사랑이 넘쳤는데, 지금은 시체를 대한다는 섬뜩한 느낌이 더 컸던 것이다.

　이 마을은 주로 안드레이가 관리하던 곳이었다. 이 마을 사람들은 다른 사람들과는 달랐다. 거친 들판에 살고 있었기 때문에 먹고 살기 위해 열심히 일하긴 했지만, 성격이 무척 거칠고 난폭했다.
　안드레이가 그들을 위해서 병원을 짓는 등 많은 노력을 기울였지만, 그들의 기질은 그리 달라지지 않았다. 그런데다가 볼콘스키 공작까지 세상을 떠났으니 사람들이 마리아의 말을 순순히 들을 리가 없었다.
　볼콘스키 공작의 장례를 치른 후, 마리아는 모스크바로 돌아가려고 했다. 알파티치는 소작인 대표 드론을 불러서 마리아가 탈 마차와, 짐을 신고 갈 짐마차 열여덟 대를 부탁했다. 그러나 드론은 고개만 흔들 뿐이었다. 평소에 불만을 갖고 있었던 농민들이 말을 숨겼던 것이다.

"그건 무리입니다. 지금 우리 마을에는 말이 없어요."

"그게 무슨 소리야? 당장 사람들에게 말해서 말을 준비하라고!"

알파티치가 억박지르자 드론은 그렇게 하겠다고 했다. 알파티치는 의심스러웠지만 하루 동안 기다려 보았다. 그러나 밤이 되어도 말은 준비되지 않았다.

마을 사람들이 모두 뜻을 모아서 말을 숲 속에 숨기고 마차도 내주지 않았던 것이다. 알파티치는 할 수 없이 경찰을 부르러 갔다. 깊은 생각에 잠겨 있던 마리아는 드론을 불렀다.

"내가 할말이 있으니까 마을 사람들을 창고 앞으로 불러 주세요."

"네, 아가씨."

얼마 후, 창고 앞으로 마을 사람들이 모였다. 마리아는 그들에게 말했다.

"여러분, 저는 이제 모스크바로 떠나려고 합니다. 여러분들께 제 오빠의 창고에 쌓여 있는 곡식을 나누어 드리겠습니다. 그러니까 여러분도 저와 함께 모스크바 근처에 있는 영지로 가 주세요. 여러분들이 안심하고 살 수 있도록 제가 책임지겠습니다."

그 때, 한 사람이 외쳤다.

"그렇게 말씀해 주시니 고맙긴 하지만 받을 수 없습니다."

"왜 받을 수 없지요?"

마리아는 놀라서 물었지만 아무도 대답하지 않았다. 모두 마리아를 믿지 않는 눈치였다.

얼마 후, 한 노인이 말했다.

"우리는 당신의 약속을 믿을 수 없습니다. 그리고 우리는 당신 마음대로 할 수 있는 사람들이 아닙니다. 혼자 가십시오. 우리는 낯선 곳에서 살고 싶지 않습니다."

마리아는 사람들의 마음을 돌리려고 애썼지만 소용없는 일이었다.

그 때, 기병 중대장 니콜라이가 부하들과 함께 이 마을을 지나고 있었다. 니콜라이는 사람들이 모여 있는 것을 보고 창고 앞으로 말을 몰았다.

"아, 대장님! 잘 오셨습니다."

니콜라이를 본 알파티치가 반가운 얼굴로 달려왔다. 그는 막 경찰서에서 돌아오는 길이었다.

"우리 주인님은 며칠 전에 돌아가신 볼콘스키 공작의 따님인 마리아 양입니다. 그런데 여기 사람들이 말을 듣지 않아서 몹시 곤란해하고 계시답니다."

"마을 사람들이 난폭한 짓이라도 했소?"

"마리아 아가씨께서 모스크바로 떠나셔야 하는데, 사람들이 말을 숨기고 마차를 내주지 않습니다."

"그럴 수는 없지."

니콜라이는 말에서 내려와 알파티치에게 더 자세한 이야기를 들었다. 그리고 알파티치의 안내를 받으며 저택으로 들어가 마리아를 만났다. 마리아는 멍하니 서 있었다.

마리아는 갑자기 나타난 군인을 보고 깜짝 놀랐다. 그러나 그가 자신과 같은 귀족 신분이라는 것을 알아차리고는 몹시 기뻐했다.

"아가씨, 댁의 집사로부터 사정 이야기는 잘 들었습니다. 아무 걱정 마시고 떠나십시오. 아가씨가 무사히 모스크바까지 갈 수 있도록 제가 보호해 드리겠습니다."

"정말 감사합니다."

마리아는 떠날 준비를 하기 위해 방으로 들어갔다. 그 사이 니콜라이는 마당으로 나가 외쳤다.

"너희들 대장이 누구냐?"

"그건 알아서 무엇 하려고 그러시오? 드론에게 무슨 볼일이라도 있소?"

소작인 한 사람이 말했다. 그는 이 일을 계획한 사람으로 기운깨나 쓰는 사람이었다. 그렇지만 그의 말이 채 끝나기도 전에 니콜라이는 주먹을 날렸다. 니콜라이의 주먹은 그의 머리 위로 날아갔다.

니콜라이는 주위에 있던 사람들에게 소리쳤다.

"뭘 보기만 하는 거야? 어서 이 자를 묶어!"

그러자 두 사람이 일어나서 니콜라이의 명령에 따랐다. 니콜라이 덕분에 모든 일이 쉽게 끝날 수 있었다. 마을 사람들은 집으로 돌아가고, 두 시간쯤 지나자 마차들이 저택 안으로 들어왔다.

니콜라이는 마을에서 10킬로미터쯤 떨어진 곳까지 마리아의 마차를 호위해 주었다. 니콜라이와 작별 인사를 하고 혼자 남게 되자, 마리아는 마음속에 니콜라이에 대한 사랑이 싹트는 것을 느낄 수 있었다.

'내가 그분을……'

마리아는 갑자기 눈시울이 뜨거워졌다.

부대로 돌아간 니콜라이 역시 마리아의 모습을 떠올렸다. 많은 사람들 틈에서 혼자 일을 해결하려고 애쓰는 모습이 강한 인상을 주었던 것이다.

그렇지만 소냐의 얼굴이 떠오를 때마다 고개를 젓곤 했다. 니콜라이가 부잣집 딸인 마리아와 결혼한다면 어머니는 무척 기뻐하실 것이다. 그러나 그는 이미 소냐와 결혼을 약속했다. 하지만 마음속에 자리잡아가는 마리아는 어떻게 하라는 말인가…….

전쟁터로 나가는 피에르

그 무렵, 쿠투조프 장군은 총사령관에 임명되었다. 그는 총사령관이
되자 충실한 부관이었던 안드레이를 불렀다.

안드레이는 곧 총사령부 대기실로 가서 쿠투조프 장군이 돌아오기를
기다리고 있었다. 그 때, 역시 쿠투조프 장군을 만나러 온 경기병 중령
한 사람을 만나게 되었다.

키가 작은 그 사람은 텁수룩하게 수염을 기르고 있었다. 그는 안드레
이에게 다가와 인사를 건넸다.

"쿠투조프 장군이 총사령관이 되셨으니 아주 든든하지요? 지금까지는
후퇴를 계속했지만 앞으로는 달라질 것입니다."

"그래야지요. 후퇴만 하다가 저는 소중한 것들을 많이 잃었답니다.
나는 스몰렌스크 지방 출신인데, 우리 영지, 태어난 집, 그리고 아버
지마저도 전쟁 중에 돌아가시고 말았답니다."

"아, 당신이 볼콘스키 공작의 아들이군요. 나는 데니소프라고 합니다.
만나서 정말 반갑습니다."

안드레이는 그가 나타샤에게 구혼했던 사람이라는 것을 알 수 있었
다. 그는 전에 니콜라이의 중대장이었다. 그래서 로스토프 백작 댁에 몇
번 초대를 받았었다. 나타샤에게 반했던 그는 맨 처음으로 그녀에게 청
혼했던 것이다.

그러나 그는 보기 좋게 거절당했다. 하지만 나타샤는 인물 좋고 소박
한 데니소프에게 늘 미안한 마음을 갖고 있었다. 안드레이는 데니소프
를 만나자 나타샤에 대한 불쾌한 마음이 다시 떠올랐다.

그 때, 쿠투조프 장군이 돌아왔다. 장군은 말에서 내리더니 안드레이의 어깨를 끌어안았다.

"잘 왔네. 안으로 들어가서 이야기하세."

그런데 데니소프가 두 사람을 따라왔다. 장군은 불쾌한 듯이 그를 바라보았다. 그럼에도 불구하고 데니소프는 움직일 줄을 몰랐다.

"각하, 스몰렌스크의 전세를 우리 쪽으로 이끌기 위한 계획을 세웠습니다. 들어주지 않으시겠습니까?"

"나중에 들겠으니 잠시 기다려 주게."

쿠투조프 장군은 안드레이와 사령관실로 들어갔다.

"안드레이, 나를 도와주지 않겠나? 자네의 도움이 필요해."

"저를 생각해 주시는 말씀은 감사합니다. 그렇지만 저는 사령부에 어울리지 않는다고 생각합니다. 그리고 저를 믿고 따라 주는 부하들을 버리고 연대를 떠난다는 건 있을 수 없는 일입니다."

"그래? 그럼 할 수 없군. 그렇지만 나에게는 자네가 꼭 필요하다네. 그렇다고 자네 말이 틀린 건 아니니 붙잡을 수도 없겠군."

쿠투조프 장군은 울먹이듯 말했다. 안드레이 역시 자신을 돌봐 주는 장군에게 고마움을 느끼고 있었다.

"그럼 안드레이, 자네의 성공을 빌겠네. 자네의 믿음에 따라 행동하길 바라네. 그러면 자네는 반드시 성공할 수 있을 거야."

안드레이는 쿠투조프 장군에게 인사를 하고 연대로 돌아갔다. 가는 도중 그는 쿠투조프 장군에 대해 생각해 보았다.

'그는 인간으로서는 훌륭하지만 군인으로서는 평범하다. 독자적인 포부도 없고, 지니려고 하지도 않는다. 하지만 그는 큰 인물이다. 그는 모든 말에 귀를 기울이며 잘 이해하고, 잘 기억한다. 이 세상 모든 일에 필연적인 흐름이 있고, 개인의 의지를 넘어야만 발전해 가는 것이라는 확실한 견해를 가지고 있다. 그가 국민 전체로부터 신뢰를 받고 있는 이유는, 그가 러시아인다운 러시아인이기 때문이다.'

전쟁이 치열해지자, 알렉산드르 황제는 귀족들과 부자들에게 도움을 청했다. 로스토프 백작을 비롯한 귀족들과 부자들은 알렉산드르를 방문했다.

"여러분, 나는 그 동안 여러분들의 열성을 의심해 본 적이 없었습니다. 오늘 여러분들은 그 기대를 확신시켜 주는군요. 정말 고맙습니다. 여러분, 이제 곧 활동을 시작합시다. 시간을 아껴야 해요."

알렉산드르의 말이 끝나자, 귀족들과 부자들은 가까이로 모여들었다. 그 때, 피에르가 소리쳤다.

"폐하! 제 생명도 재산도 아깝지 않습니다. 모두 바치겠습니다."

그 순간 피에르에게는 모든 것을 희생하고 싶은 마음뿐이었다. 로스토프 백작 역시 거의 정신을 차릴 수가 없었다. 그는 집으로 돌아와서 백작 부인에게 말했다.

"여보, 폐하께서 우리에게 얼마나 큰 기대를 가지고 계시는지 아시오? 피에르는 또 생명도 재산도 아깝지 않다고 했어요. 그리고 또 어떤 사람은 민병 1천 명과 그 급료를 부담하겠다고 했어. 나는 그런 데 비하면 너무 부끄럽군. 지금 당장 신고하러 가야겠소. 폐차를 불러 주시오."

로스토프 백작의 얼굴에는 비장함이 감돌았다.

귀족들과 부자들의 마음이 불타오르고 있는 동안, 모스크바의 주민들은 평소와 다름없이 생활하고 있었다.

어느 날, 영국인 클럽에서 주리를 위한 송별회가 열렸다. 주리는 곧 모스크바를 떠나 다른 곳으로 가기 때문이었다.

손님들과 즐겁게 이야기를 나누던 주리가 피에르에게 다가왔다.

"피에르 씨, 나는 어제 나타샤 양을 만났어요. 무척 건강해진 것 같던데요? 또 예전의 일들은 모두 잊은 것 같았어요."

"뭘 잊었단 말입니까?"

"아마 새로운 기사가 나타나서 나타샤 양을 건강하게 만들었나 봐요."

"그게 무슨 말씀이신지……."

"어머! 자꾸 그렇게 숨기실 거예요?"

피에르의 얼굴은 사과처럼 빨개졌다.

"피에르 씨, 당신과 나타샤 양이 가깝게 지낸다는 건 누구나 아는 사실이에요."

"나타샤의 집에 가지 않은 지 한 달도 더 됐는데 무슨 기사 노릇을 한단 말입니까? 그런 얘기는 그만 하세요."

피에르가 퉁명스럽게 말하자, 주리는 얼른 다른 말로 돌렸다.

"참, 볼콘스키 공작의 따님 마리아 양이 모스크바에 돌아왔다면서요?"

"그래요? 잘 지내신다고 합니까? 한 번 뵙고 싶군요."

"몹시 우울해 보인다고 해요. 게다가 영지를 떠날 때, 사람들이 그녀를 곤란하게 했나 봐요. 그 때, 니콜라이 씨가 나타나서 그녀를 구해 주었대요."

주리의 말에 주위에 있던 청년이 비웃듯이 중얼거렸다.

"사랑이 싹텄겠군."

피에르는 클럽에서 나와 집으로 돌아갔다. 집에는 모스크바 총독인

로스토프친 백작이 주민들에게 보낸 포고문이 있었다.

　　모스크바의 주민들이여, 특히 귀부인들은 어서 모스크바를 떠나
다른 곳으로 가야 한다.
　…………
　　나는 프랑스 군에게 내 목숨을 빼앗기는 한이 있더라도 모스크바
를 지킬 것이다.

피에르는 얼마 지나지 않아 프랑스 군이 모스크바로 쳐들어올 것이라
고 생각했다.
　'지금 군대에 들어갈까? 아니면 조금 더 기다릴까?'
　그는 이 전쟁에 도움이 되고자 몇십만 루블을 내놓았다. 그러나 그것

만으로는 만족할 수 없었다.

전쟁은 점점 더 치열해졌지만, 피에르의 기분은 더욱 좋아졌다. 그는 지금까지 참다운 삶을 찾아 방황했던 것이다. 그래서 그는 자신의 목숨이나 재산을 막다른 골목으로 몰아넣고 싶었다. 그렇게 해서 어떠한 결정을 내리지 않고는 안 될 지경까지 왔던 것이다.

결국 그가 기다리던 최후의 기회라고 할 만한 일이 눈앞으로 다가왔던 것이었다.

9월이 되자, 피에르는 모스크바를 떠날 결심을 했다.

모자이스크라는 마을에 이르자, 러시아 군의 모습을 쉽게 볼 수 있었다. 전쟁의 기운이 더욱 가깝게 느껴졌다. 보병, 기병, 병참대, 폭약차, 대포 등…….

그는 새로운 느낌을 받았다.

'나도 나라를 위해 무엇인가를 해야 한다. 내 몸을 희생해야 한다.'

그는 재산과 지위, 그리고 사람의 행복을 이루는 데 꼭 필요하다고 느꼈던 것들이 이제는 결코 가질 만한 것이 아니라고 생각되었다.

또한 목숨조차도 가질 만한 것이 못 된다고 생각했다. 목숨을 희생하는 한이 있더라도, 가장 절대적이고 위대한 것을 얻는 편이 즐거울 거라고 생각했다. 그렇지만 누군가가 그 가장 절대적이고 위대한 것이 무엇이냐고 묻는다면 말로 설명할 수는 없었다.

보로디노 전투

1812년 9월 7일, 보로디노에서는 러시아와 프랑스 사이에 전투가 벌어졌다. 이 전투의 결과로 러시아는 모스크바를 빼앗기는 날을 앞당기게 되었고, 프랑스는 가장 강한 군대가 패하여 흩어질 날을 앞당기게 되었다.

보로디노 전투가 벌어지기 하루 전날, 피에르는 흰 모자를 쓰고 초록색 프록코트를 걸친 후, 모자이스크 마을을 출발했다.

그를 본 러시아 군은 모두 깜짝 놀랐다. 피에르의 얼굴을 알고 있는 군의관이 다가왔다. 피에르는 전쟁터가 보고 싶다고 말하자, 군의관은 가장 전망 좋은 곳을 가르쳐 주었다. 그 곳이 바로 보로디노였다.

스몰렌스크 가도가 전쟁터를 양쪽으로 나누며 왼쪽에 있는 높은 지대를 향해, 하얀 교회 건물이 보이는 작은 마을을 뚫고 뻗어 있었다.

또 스몰렌스크 가도는 보로디노 마을 변두리에서 6킬로미터 떨어진 마을로 뻗어 갔다. 그 마을에는 나폴레옹의 총사령부가 있었다.

그 때, 교회에서 출발한 행렬이 언덕을 오르고 있었다. 피에르 옆에 있던 병사들이 소리쳤다.

"성모님이야!"

병사와 신부들, 성가대의 행렬 뒤로 금란 보자기로 덮인 성모상을 떠멘 병사들이 따르고 있었다. 곧 성모상이 언덕 꼭대기에 이르자 기도 의식이 거행되었다. 한창 찬송가를 부르고 있을 때, 성모상을 둘러싸고 있던 인파 사이로 한 사람이 올라왔다.

그는 쿠투조프 장군이었다. 쿠투조프 장군은 성모상 앞으로 다가가 무릎을 꿇었다. 그리고 다시 일어나 성모상에 입술을 가져다 댔다. 그 모습을 본 사람들은 무척 감동한 것 같았다.

피에르가 묵묵히 그들의 모습을 지켜보고 있을 때, 누군가가 소리쳤다.

"백작! 여기는 무슨 일로 오셨소?"

사령부에 소속되어 있던 보리스였다.

"나도 전쟁에 나가려고 왔네. 내일이라도 진지를 돌아다녀 보고 싶은

데……."

"제가 안내해 드리겠습니다."

"저, 안드레이 볼콘스키 공작의 연대가 어디인지 알고 있는가?"

"그럼요. 아주 가까운 곳에 있답니다."

두 사람이 이야기를 나누고 있는 사이, 성모상을 떠멘 행렬은 언덕 아래로 내려갔다.

쿠투조프 장군은 얼핏 피에르를 보았다.

"저 친구는 피에르 베즈호프 백작이 아닌가? 즉시 이리로 데려오게."

쿠투조프 장군이 부관에게 명령하자, 부관은 곧 피에르에게 장군의 말을 전했다.

"베즈호프 백작, 이거 참 놀라운 일이로군. 무슨 일로 이 화약 냄새 나는 곳까지 왔소?"

피에르는 모자를 벗고, 미소를 지으며 정중하게 인사했다.

"그 동안 잘 지내셨습니까?"

"반갑소. 그런데 아름다운 부인께서는 잘 계시오? 백작, 괜찮다면 내 숙소를 써도 좋소. 사양하지 말고."

피에르는 정중하게 거절하고 러시아 군의 진지를 둘러보러 갔다. 그리고 안드레이가 머물고 있는 어느 농가의 헛간으로 갔다.

안드레이는 깊은 생각에 잠겨 있었다. 자신의 인생이 너무나 답답하기만 했다. 그렇지만 큰 결전을 앞에 두고 있어서인지 긴장되었다. 7년 전의 아우스터리츠 전투 때처럼 몹시 흥분되었다.

그 날 저녁때까지 안드레이는 내일의 결전에 대해 명령을 받기도 하고, 스스로 명령을 내리기도 하며 모든 준비를 끝내 버렸다. 할 일이 없어서인지 그의 머릿속에는 갖가지 생각이 떠올랐다.

'나는 내일이면 죽을지도 몰라.'

안드레이는 헛간의 창문을 통해 보이는 자작나무 가로수의, 초록과 노랑이 뒤섞인 잎들의 색깔과 줄기의 허연 껍질을 물끄러미 바라보았다.

'나는 내일이면 죽는다. 지금 내 눈앞에 있는 것은 그대로 남고, 이 세상에서 나 혼자만 사라져 버린다.'

그는 자신이 사라진 후의 세상을 그려 보았다.

그 때, 바깥에서 그의 이름을 부르는 소리가 들려왔다. 그가 대답하자, 피에르가 안으로 들어왔다.

"아니, 자네가 어떻게 여기에……."

안드레이는 무척 놀랐다. 그리고 곧 언짢아졌다. 아무리 가까운 친구라 해도 자신의 과거를 잘 알고 있는 사람은 만나고 싶지 않았던 것이다.

"전쟁터가 보고 싶어서 달려왔네."

피에르는 안드레이의 표정을 보고 어색하게 대답했다.

잠시 후, 당직 병사가 피에르에게 의자를 가져다 주기도 하고, 차를 준비해 주기도 했다.

"안드레이, 난 지금 진지를 둘러보고 오는 길이야."

"그럼 자네는 우리 군의 배치 상황을 완전히 파악했겠군."

안드레이가 빈정거리는 듯한 말투로 말했다.

"나는 군인이 아니니까 완전히 파악했다고는 할 수 없지. 그런데 쿠투조프 장군이 총사령관에 임명된 것을 어떻게 생각하나?"

"음, 매우 기쁘게 생각하고 있네."

"그래, 쿠투조프 장군은 매우 노련한 장군이니까……."

"노련? 그게 무슨 말인가? 나는 잘 모르겠는데."

안드레이는 여전히 빈정거리듯이 말했다.

"내 말은 쿠투조프 장군 정도라면 전쟁에서 닥칠 온갖 돌발 상황을 미리 예측할 수 있을 거란 말이야. 아마 장군은 적들의 생각을 미리 알고 대처할 수 있을 거야."

"피에르, 쿠투조프 장군이 하느님이라도 된다는 말인가? 그런 사람은 이 세상에 없다고!"

"그렇지만 전쟁은 장기와 같다고 하지 않나?"

"비슷하기는 하지만 달라. 장기에서는 말이 졸보다도 강하지만, 전쟁에서는 중대 하나가 연대 하나보다 더 강할 때가 얼마든지 있거든."

안드레이는 빈정거리는 말투를 버리고 다시 예전처럼 피에르에게 말하기 시작했다. 목소리는 점점 높아지고, 눈에서는 빛이 뿜어져 나왔다.

"그래서 나는 총사령부에서 작전 계획을 세우기보다는 직접 연대를 거느리고 전쟁터로 나가고 싶어. 쿠투조프 장군의 제의를 거절한 것도 그 이유 때문이지. 내일 있을 결투는 직접 뛰는 우리들에 의해 결단이 나는 것이지, 총사령부에 있는 사람들에게 달린 게 아니야. 그리고 전쟁에서 승리하려면 진지, 무기, 병력만으로는 부족해."

"그렇다면 무엇이 더 필요하다는 말인가?"

"그것은 병사들 한 사람 한 사람이 가지고 있는 결의야."

안드레이는 몹시 흥분해 있었다.

"피에르, 반드시 이길 거라고 결의를 굳힌 자가 싸움에서 이길 수 있어. 우리가 왜 아우스터리츠에서 졌는지 아나? 너무 빨리 포기했기 때문이야."

"안드레이, 그렇다면 내일 우리가 이긴다고 생각하나? 모든 병사들이 이기겠다는 결의를 갖고 있나?"

"당연하지!"

안드레이는 창 밖을 바라보며 큰 소리로 대답했다.

그 날, 나폴레옹에게 파리에서 보세라는 시종장이 찾아왔다. 그는 로마왕이라고 불리는 왕자의 초상화를 가지고 왔다.

"자, 이 로마왕의 초상화를 총사령부 부근에 있는 근위 사관 병사들에게 보여 주어서 그들을 기쁘게 해 주어라."

나폴레옹은 신하에게 그렇게 명령한 후, 보세와 함께 식사를 했다. 식사가 끝나자 나폴레옹은, 군대에 내리는 명령을 보세에게 받아 쓰도록 했다.

사랑하는 우리 군대여!

너희들이 그토록 기다리던 날이 다가왔다. 너희들의 노력에 따라서 프랑스가 패할 수도 있고 승리할 수도 있다. 조국이 반드시 승리해야 한다는 것을 잊지 말라!

너희가 하루빨리 조국으로 돌아가고 싶다면 승리하는 길밖에 없다. 이 전쟁에서 공훈을 세워 후손들에게 전해지도록 하라. 후손들이 너희들에 관한 이야기를 할 때, 이 모스크바 원정에 참전했었다는 것만으로도 충분한 자랑이 될 수 있도록…….

나폴레옹은 보세와 함께 총사령부 밖으로 나갔다. 그런데 병사들이 아직도 로마왕의 초상화 앞에 모여서 만세를 외치고 있었다. 그 모습을 본 나팔레옹은 보세에게 명령했다.

"어서 초상화를 치우도록 하라. 왕자에게 전쟁터를 보여 주기는 아직 이르겠지?"

그날 밤, 피에르는 보리스의 숙소에서 잠을 잤다. 그런데 다음 날 아침 눈을 떠 보니, 보리스와 다른 군인들은 모두 진지로 떠나고 아무도 남아 있지 않았다.

피에르는 서둘러 준비를 하고 언덕 쪽으로 걸어갔다. 언덕 중턱에서는 장교들이 모여서 웅성거리고 있었다. 그들의 어깨 너머로 뒤돌아서서 저 쪽을 바라보고 있는 쿠투조프 장군이 보였다. 장군은 망원경으로 스몰렌스크 가도를 내려다보고 있었다. 그 곳에 적의 진지가 있었던 것이다.

피에르는 언덕 꼭대기로 올라갔다. 발 밑에는 그림처럼 아름다운 모습이 펼쳐져 있었다. 황금빛과 장밋빛 아침 햇살이 눈앞에 있는 모든 것을 물들이고 있었다.

저 멀리 스몰렌스크 가도에는 병사들이 끊임없이 움직이고 있었다. 그 앞에 있는 숲이나 밭은 아침 햇살을 받아 반짝반짝 빛나고 있었다.

피에르의 눈앞에는 군대의 움직임으로 가득 차 있었다.

그 때, 갑자기 '펑' 하는 소리와 함께 연기가 솟아올랐다. 곧이어 여기저기에서 연기가 피어오르고 대포 소리가 들려왔다. 그리고 총소리도 쉴새없이 들려왔다.

'아, 싸움이 시작되었구나. 나도 어서 가 보자.'

피에르는 마부가 끌고 온 말을 타고 앞으로 달려갔다.

얼마 후, 그는 러시아 군의 대포가 있는 고지 위에 도착했다. 러시아 군과 프랑스 군은 처음부터 이 곳을 전선 중에서 가장 중요한 곳이라고 생각했다.

오전 10시 무렵, 숲이나 강기슭에 진을 치고 있던 러시아의 보병들이 후퇴하기 시작했다. 그 뒤를 바짝 따라붙은 적군의 포탄은 윙윙 소리를 내며 병사, 보루, 대포 등을 산산조각으로 만들어 버렸다.

'나는 어떡하지? 어디로 가야 할까?'

피에르는 어떻게 해야 할지 결정하지 못하고 몹시 허둥댔다. 그는 비틀거리며 탄약 상자가 있는 곳으로 갔다.

그 순간 갑자기 땅을 울리는 듯한 소리와 함께 그는 위로 솟아올랐다가 바닥으로 팽개쳐졌다. 무시무시한 빛이 비치더니 고막이 찢어질 듯한 소리가 들렸다. 겨우 정신을 차린 피에르는 일어나 앉았다. 그는 겁에 질려 주위를 둘러보다가 보루가 있는 쪽으로 되돌아 달려갔다.

이 때, 안드레이의 연대는 예비 부대로 편성되어 후방에서 대기하고 있었다.

오후 2시, 안드레이의 연대는 전진하라는 명령을 받았다. 러시아 군은 이미 200명 이상의 병력을 잃었던 것이다.

연대는 라에프스카야 포대가 있는 곳 가까이에 있는 보리밭까지 나아갔다. 이 곳은 오후 1시에서 2시 사이에 수천의 러시아 군이 전사한 곳이었다.

안드레이의 연대는 그 자리에서 꼼짝도 못하고 명령만 기다리고 있었다. 그러는 사이에 적의 공격이 시작되어서 연대는 총알을 한 발도 쏘지 못하고 거의 3분의 1의 병력을 잃었다. 적의 포탄이 떨어질 때마다 병사들은 자꾸만 목숨을 잃어 가고 있었다.

'이대로 있다가는 모두 죽고 말 텐데…….'

안드레이는 안전한 곳으로 옮기고 싶었지만, 사령관의 명령이 없이는 함부로 움직일 수가 없었다.

"부관, 병사들에게 한 군데에 몰려 있지 않도록 명령하라!"

안드레이는 부관에게 급히 명령을 내렸다.

그 때, 포탄 하나가 빠른 속도로 날아와서 안드레이 옆에 떨어졌다. 부관은 땅바닥에 몸을 엎드리고 소리쳤다.

"연대장님! 위험합니다!"

그러나 안드레이는 당황하지 않았다. 포탄은 연기를 피워 올리면서 뱅글뱅글 돌고 있었다.

'이런 난리 속에서 죽게 되는 걸까? 아니야, 죽고 싶지 않다. 나는 생명이 있는 것들을 사랑한다. 이 공기와 꽃과 흙과…….'

그 순간 '쾅' 하며 포탄이 폭발했다. 무서운 폭발음과 화약 냄새가 진동했고, 안드레이는 높이 날아올랐다가 땅바닥에 떨어졌다. 그의 옆구리에서는 피가 흘러나와 풀밭에 얼룩을 만들고 있었다.

그는 들것에 실려 숲 속에 마련된 임시 병원으로 옮겨졌다. 그 곳에는 수술대가 3개 있었다. 안드레이의 옆 수술대에는 체격이 좋은 젊은 군인이 누워 있었다. 물결치는 듯한 곱슬머리와 잘생긴 얼굴이 어쩐지 낯이 익었다.

그 때, 안경을 낀 군의관이 안드레이를 치료하기 시작했다. 안드레이는 너무 고통스러워 정신을 잃고 말았다.

안드레이가 정신을 차렸을 때는 이미 수술이 끝나 있었다. 넓적다리의 찢어진 부분과 너덜너덜해진 살이 잘려 나가고, 그 자리에는 붕대가 친친 감겨 있었다. 그는 이상하게도 편안하고 행복했다. 이 세상에 살아 있다는 것만으로도 만족할 수 있었다.

그 때, 옆에서 흐느껴 우는 소리가 들렸다. 안드레이가 천천히 고개를 돌려 바라보니, 젊은 군인이 잘려 나간 한쪽 발을 보며 울고 있었다. 아직도 다른 한쪽 발에는 피묻은 구두를 신고 있었다.

'아, 아나톨리였구나.'

안드레이는 그 젊은 군인이 그가 그토록 찾아 헤매던 아나톨리라는 것을 알아차렸다.

'아나톨리와 나는 묘한 인연이 있구나. 내 인생과는 아무 상관도 없

는 사람인데…….'

안드레이의 눈앞에 그리운 얼굴이 스쳐 지나갔다. 1810년 무도회에서 처음 보았던 나타샤의 모습이었다.

'나타샤, 그녀는 무척 아름다웠지.'

안드레이는 마음속으로 그녀를 불러 보았다. 그러자 그녀에 대한 사랑이 되살아나는 것 같았다. 그리고 안드레이는 옆에서 울고 있는 아나톨리에 대해 생각해 보았다. 그러자 인간에 대한 연민과 사랑이 샘솟았다.

'연민, 가족과 이웃에 대한 사랑, 나를 미워하는 사람에 대한 사랑, 적에 대한 사랑, 이것은 신이 우리에게 가르쳐 준 사랑이다. 만약 내가 살아남을 수 있다면, 이 사랑이야말로 내가 가진 유일한 것이다. 그렇지만 나는 이미 틀렸다.'

안드레이는 자신의 죽음을 느끼고 있었다.

나폴레옹이 이끄는 프랑스 군은 열두 나라의 언어를 사용하는 여러 민족들로 구성되어 있었다. 그러니 러시아 군이 상대하기에는 벅찰 수밖에 없었다. 러시아 군은 국경에서 스몰렌스크까지 후퇴했다. 그리고 다시 보로디노까지 물러났다.

프랑스 군은 러시아 군을 전속력으로 뒤쫓아 모스크바까지 바짝 추격해 왔다. 그들에게도 추위와 배고픔은 심각한 문제였다. 그들이 목숨을 걸고 싸워서 차지한 것은 불타 버린 넓은 땅덩이뿐이었다. 그러므로 추위와 배고픔을 덜기 위해서라도 모스크바를 차지해야 했던 것이다.

그러는 동안 러시아 군의 마음에는 프랑스 군에 대한 분노가 가득 차게 되었다. 보로디노 전투가 시작되면서 쿠투조프 장군은 러시아가 승

리할 것이라고 생각했지만, 러시아의 피해는 심각한 상황이었다. 이미 병력의 절반을 잃었던 것이다. 결국 러시아는 모스크바를 버리고 다시 후방으로 후퇴하는 상황에까지 이르게 되었다.

이제 모스크바는 텅 비게 되었다. 귀족들과 부자들은 재산도 버려둔 채 피난을 갔고, 가난한 사람들은 남겨진 큰 저택과 물건들을 불태우거나 부숴 버렸다.

전쟁이 일어나기 전에 러시아 인들은 프랑스와 나폴레옹에 대해서 좋은 감정을 가지고 있었다. 그러나 프랑스가 모스크바를 차지하게 되자, 그들은 더 이상 모스크바에서 살 수 없다는 민족적 자존심과 자의식이 강해졌다. 그래서 그들은 모스크바를 비워 둔 채 떠나 버렸던 것이다.

그런데 그 결과는 뜻밖에도 나라를 위기에서 구하는 대단한 공을 세운 셈이 되었다.

폐허가 된 모스크바에 들어간 프랑스 군은 추위와 배고픔에 떨며 5주일 동안이나 머물렀다. 그러나 눈에 보이지 않는 무엇인가에 불안해진 그들은, 모스크바에서 물러나 서쪽으로 후퇴하게 되었다.

피에르는 아내 엘렌과 헤어졌다. 두 사람은 별거하고 있었는데, 피에르가 전쟁터에 나가 있는 동안 엘렌이 이혼을 요구하는 편지를 보내온 것이다.

엘렌은 다른 남자와 결혼할 거라는 사실을 밝히고 있었다. 화려하고 사치스러운 것을 좋아하고 사교를 즐기며 바람기가 많은 엘렌은 피에르와 맞지 않았다. 그런 두 사람이 이혼한 것은 당연한 일이라고 해야 할 것이다.

보로디노 전투에서 살아남은 피에르는 모자이스크 마을에 머물고 있었다. 어느 날 아침 마부가 일찍 그를 깨웠다.

"어서 떠나세요! 프랑스 군이 이 곳까지 들이닥쳤어요."

피에르는 자리에서 일어나 마부에게 마차를 끌고 뒤따라오라고 명령했다. 그리고 마을을 가로질러 걸어갔다. 농가나 마당, 가도는 온통 부상자들의 신음 소리로 가득 차 있었다.

피에르는 그 부상자들 사이에서 낯익은 장교를 발견했다. 피에르는 그 장교를 뒤따라온 자신의 마차에 태웠다. 피에르는 그 장교에게서 몇 가지 소식을 듣게 되었다. 처남인 아나톨리의 죽음과 안드레이 볼콘스키 공작의 부상 소식이었다.

모스크바로 돌아온 후, 피에르는 다시 바빠졌다. 군인, 상인, 무슨 모임의 위원이라는 사람들이 그에게 도움을 청하러 왔다. 피에르는 그런 사람들은 알지도 못했고, 관심도 없었다. 그렇지만 그는 그들이 되도록 이면 빨리 돌아갈 수 있도록 부탁을 들어주곤 했다.

그러던 어느 날 아침, 피에르는 아침식사도 하지 않은 채 급히 뒷문으로 빠져 나갔다. 그 후, 모스크바가 무너지는 날까지 그를 본 사람은 아무도 없었다.

피 난

로스토프 백작의 가족들은 프랑스 군이 모스크바로 쳐들어오기 전인 9월 1일까지도 시내에 남아 있었다. 그 때에는 막내 페차도 카자흐 연대에 들어가 있었다.

백작의 집에서는 전쟁에 대한 이야기만 들어도 니콜라이와 페차 걱정으로 모두 마음이 아팠다. 특히 로스토프 백작 부인은 잠을 제대로 이룰 수조차 없었다. 니콜라이는 볼콘스키 공작의 딸인 마리아를 구해 주었다는 편지를 보내온 후 소식이 없었다.

백작 부인은 니콜라이가 지금 어디에 있는지 알 수가 없어서 더욱더 힘들어했다. 그러다 보니 백작 부인은 잠이 들면 아들들이 전사하는 꿈을 꾸곤 했다. 그런 아내를 보며 로스토프 백작은 아내의 마음을 안정시킬 방법을 찾기 시작했다. 그가 겨우 찾아낸 방법은 페차를 데려와서 당시 편성 중이던 베즈호프 연대에 전입시키는 것이었다.

처음에 니콜라이 하나만 군대에 갔을 때는 오직 니콜라이만이 귀중하게 느껴졌었다. 그래서 다른 아이들에게 미안한 생각이 들 정도였다. 그런데 아직 어린 막내 페차가 군대에 가자, 백작 부인은 페차가 가장 귀엽고 소중하다고 생각했다.

페차가 모스크바에 돌아오는 날이 가까워지자, 백작 부인은 행여 이 행복을 누릴 수 없게 되지는 않을까 하고 몹시 불안해했다.

8월 하순에는 니콜라이로부터 무사하다는 편지를 받았다. 그런데도 백작 부인의 마음은 안정되지 않았다. 큰아들이 안전한 곳에 있다는 걸 알게 되자 더욱더 페차가 걱정됐던 것이다.

8월 20일 경에는 로스토프 백작 가족과 가까이 지내는 사람들이 대부분 모스크바를 떠났다. 그들은 백작 가족에게도 빨리 떠나라고 했지만, 백작 부인은 페차를 보기 전까지는 움직일 생각이 없는 것처럼 보였다.

8월 28일 드디어 페차가 돌아왔다. 백작 부인은 무척 기뻐하며 페차의 곁을 떠나지 않았다.

"페차, 이제 아무 데도 가지 말고 엄마 옆에 있어 주렴."

그렇지만 이제 열여섯 살이 된 소년 장교는 어머니를 무척 귀찮아했다.

"저는 군인이에요. 전쟁이 일어나면 어디든지 달려가야 한다고요."

페차는 점잖게 대답했다. 페차는 어머니의 마음을 잘 알고 있었기 때문에, 되도록이면 어머니 곁에 가까이 가지 않고 누나인 나타샤와 지냈다.

이제 모스크바 시내는 몹시 혼란스러웠다. 날마다 수천 명의 부상병들이 보로디노에서 실려오고, 셀 수도 없이 많은 마차들이 주민과 짐을 가득 싣고 모스크바를 떠났다.

로스토프 백작의 가족들도 피난 준비를 하기 시작했다. 백작은 시내를 돌아다니며 소문들을 들어 보았고, 백작 부인은 여러 물건을 보관했다. 그러나 백작 부인의 신경은 자꾸만 페차에게로 쏠리고 있었다.

페차는 나타샤와 집 안을 뛰어다니며 떠들고 있었다. 두 사람의 웃음소리에 온 집 안이 시끄러웠다. 페차는 눈에 보이는 모든 것이 즐거웠다.

모스크바로 돌아온 후, 훌륭한 청년이 되었다는 이야기를 많이 들었고, 곧 전쟁의 불길이 번질지도 모를 모스크바에 있다는 것이 기뻤다. 그리고 가장 좋아하는 누나가 명랑하고 건강해진 사실이 좋았다.

나타샤와 페차는 피난을 가는 사람들을 보며 한바탕 웃음을 터뜨렸다. 위험을 피해 도망가는 것은 비겁한 자들이나 하는 짓이라고 떠들던 사람들이 집과 재산을 버리고 떠나고 있는 것이다.

그러나 두 사람의 모습은 백작 부인에게 불만일 수밖에 없었다. 그녀는 나타샤에게까지 소리를 지르곤 했다.

"너는 도대체 나를 엄마로 생각하기는 하는 거니? 페차, 너는 엄마보다도 누나가 더 좋아?"

백작의 가족들은 바쁘게 왔다갔다하기만 할 뿐, 정작 짐을 싸는 사람은 소냐였다. 그녀는 무척 우울해 보였다.

니콜라이가 마리아를 구해 주었다는 편지를 받은 백작 부인은, 마리아를 며느리로 점찍고 있었다. 니콜라이를 부잣집 딸과 결혼시켜서 집 안을 일으켜 세우려는 마음을 갖고 있던 백작 부인이었던 것이다.

소냐는 백작 부인의 마음을 잘 알고 있었다. 그렇지만 니콜라이가 다른 사람과 결혼한다는 것은 생각조차 하기 싫은 일이었다. 소냐는 그런 슬픔을 잊어 보려고 열심히 일만 했다.

나타샤는 집안 사람들에게 자신이 도움을 주지 못하는 것 같아서 괴로웠다. 그래서 몇 번이나 도우려고 했지만 도무지 일이 잘 되지 않았다. 그녀는 마음에서 우러나오는 일이 아니면 못하는 성미였던 것이다.

그 때, 창 밖에서 소란스러운 소리가 들려와 나타샤는 급히 나가 보았다. 부상자들을 실은 짐마차가 줄을 지어 서 있었다. 나타샤의 집에서 부엌일을 하던 노파가 짐마차에 누워 있는 장교와 이야기를 나누고 있었다.

"정말 모스크바에 아는 사람이 없어요? 어느 댁에라도 들어가서 좀 쉬면 나을 텐데……. 저, 저희 집에라도 가시겠어요? 주인 어른들이 곧 떠나시거든요."

"대장님께 물어 봐 주시겠습니까? 허락하실지 모르겠네요."

장교는 뚱뚱한 소령을 가리키며 힘없는 목소리로 대답했다.

두 사람의 이야기를 듣고 있던 나타샤는 소령에게 다가갔다.

"저, 부상당한 분들을 저희 집으로 모셔도 될까요?"

"그렇게 해 주시면 정말 고맙겠습니다."

나타샤는 노파와 함께 되도록이면 많은 부상병을 집 안으로 들이려고 애썼다. 그리고 서둘러 백작 부인의 방으로 들어갔다.

"어머니, 저……. 밖에 부상당한 장교들이 실려 와 있어요. 그런데 아무 데도 갈 곳이 없대요. 어머니, 집 안으로 데리고 와도 괜찮지요? 허락해 주세요."

"어떤 장교들이니? 어디서 왔지? 이게 대체 무슨 일이야?"

백작 부인이 부드럽게 말하자 나타샤는 웃음을 터뜨렸다. 백작 부인도 함께 웃었다.

"그러면 어머니, 허락하시는 거지요?"

나타샤는 얼른 방을 나왔다. 그녀는 응접실에서 나쁜 소식을 가져온 로스토프 백작과 마주쳤다.

"아버지, 부상자들을 집으로 데려왔는데 괜찮으시지요?"

"이제 서둘러야 한다. 쓸데없는 일에 신경쓰지 말고 어서 짐을 꾸리도록 해!"

백작은 하인들에게도 서두르도록 명령을 내렸다. 그 때, 페차가 기뻐하며 들어왔다.

"누나, 부상자들이 왔다며?"

"응, 갈 데도 없이 마차를 탄 채로 있더라. 마음이 아파서 그냥 지나칠 수가 없었어."

"지금 가 봐도 돼?"

"안 돼. 무척 피곤한 것 같았어. 그러니까 나중에 가도록 해."

식사 때가 되자, 페차는 새로운 소식을 전했다.

"오늘 크렘린에서는 사람들이 무기를 가지고 있는지 조사했대요. 모스크바 총독은 이틀 동안 조사해서 사람들을 불러모으겠다고 했어요. 이제 곧 무기를 든 사람들이 산 위로 올라가서 싸움을 할 거예요."

페차는 신이 나서 말했다. 그러나 그 옆에서는 겁에 질린 백작 부인이 조용히 아들을 바라보고 있었다.

밤이 찾아오자, 로스토프 백작 댁에 부상을 당한 한 장교가 운반되어 왔다. 그는 바로 안드레이였다. 그러나 안드레이는 백작 저택의 빈방에서 그날 밤을 지냈으므로, 그 곳이 나타샤가 살고 있는 집이라는 걸 몰랐다.

부상자들은 백작에게 짐마차를 빌려 달라고 떼를 쓰기 시작했다. 그러나 백작은 그 부탁을 들어줄 수가 없었다. 한 대 두 대 빌려 주다가는 모든 마차가 부상자들의 차지가 될 것이기 때문이었다.

모스크바 최후의 날이 다가왔다. 다른 일요일과 마찬가지로 기도회를 알리는 종소리가 울리는 맑은 가을 날이었다.

잠에서 깨어난 백작은 뜰로 나와 집사에게 물었다.

"준비는 다 됐는가?"

"네, 이제 떠나시기만 하면 됩니다."

"수고했네. 식구들이 준비를 끝내면 떠나도록 하세. 그런데 이분들은 계속 여기에 머무르시는 건가?"

백작은 부상자들을 바라보며 물었다.

그 중 한 장교가 백작에게 다가왔다.

"저, 제발 부탁입니다. 짐 위에라도 좋으니 마차를 좀 태워 주십시오."

그러자 백작은 집사에게 말했다.

"그렇다면 마차 한두 대를 비워서 이분들에게 드리게."

곧 백작의 집 안마당은 마차에 오르려는 부상자들로 떠들썩했다. 그 모습을 바라보던 페차가 나타샤에게 말했다.

"누나, 역시 부상자들에게 마차를 빌려 주는 일은 잘한 거지?"

"그럼! 그런데 난 사실 걱정이었어. 아버지는 빌려 주시겠다고 하시지만, 어머니가 반대하셨잖아. 그렇지만 어머니 말씀도 틀린 건 아니야. 우리에게 필요한 것을 가져 가겠다고 하니까. 그래서 마차를 빌려 주실 수 없다고 하신 거야."

"나는 어머니 생각이 틀렸다고 생각해. 나도 군인이야. 언제 부상당할지 모른다고!"

"하여간 어머니가 이해해 주셨잖아."

백작 가족의 마차는 가득 차서 페차가 앉을 자리조차 남지 않았다. 결국 페차는 마부 자리에 앉게 되었다.

모든 준비가 끝나고 먼저 부상병을 태운 마차들이 하나 둘 출발하기 시작했다. 마차를 지켜보던 소냐가 중얼거렸다.

"저건 누구의 마차지?"

"어머, 정말 모르세요? 안드레이 볼콘스키 공작님의 마차잖아요. 어젯밤에 여기서 묵으셨는데⋯⋯."

소냐의 하녀가 말했다.

소냐는 재빨리 로스토프 백작 부인에게 알렸다. 그러자 백작 부인은 깜짝 놀랐다. 그리고 주위를 두리번거리며 소냐에게 물었다.

"나타샤도 알고 있니?"

"아직 몰라요. 그런데 공작님은 무척 위독한 상태래요."

두 사람이 불안에 떨고 있을 때, 나타샤가 나타나 소리쳤다.

"이제 준비가 끝났어요."

갑자기 나타샤가 나타나자, 백작 부인과 소냐는 무척 당황했다.

"어머, 무슨 일 있어요?"

"아, 아니다."

백작 부인은 얼른 고개를 돌렸다.

"소냐, 무슨 일인데 그래?"

"정말 아무 일도 아니야."

"아니야, 분명히 나에게 좋지 않은 일이 생긴 거야. 뭐지?"

예민한 나타샤는 뭔가 이상하다는 걸 느낄 수 있었다.

얼마 후, 백작 가족을 태운 마차가 출발했다. 나타샤는 창 밖으로 얼굴을 내밀고 다른 마차를 쳐다보곤 했다. 얼마쯤 가자, 다른 곳에서 온 마차들도 행렬에 끼여들었다. 마차를 탄 사람들은 모두 반대편에 있는 교회를 바라보며 성호를 그었다.

모스크바에 남은 사람들은 그들을 배웅하면서 마차 양쪽에 붙어서 걸었다. 페차는 멀어지는 모스크바의 모습을 조용히 바라보았다. 가슴속에서 지금까지 한 번도 느껴 보지 못했던 기쁨이 솟아나는 걸 느꼈다. 그는 창 밖으로 고개를 내밀고 뒤를 돌아보기도 하고, 부상자들을 실은 마차의 행렬을 지켜보기도 했다.

쿠도리나에 도착하자, 피난을 떠나는 마차들이 수없이 많았다. 사도와야에서는 마차가 두 줄로 달리고 있었다.

갑자기 나타샤가 기쁜 목소리로 외쳤다.

"어머! 저기 좀 봐요. 피에르 씨예요."

"뭐라고? 어디?"

"저기 저 노인과 나란히 걸어가고 있는 사람이요."

피에르는 마부처럼 변장을 하고 있었지만, 걸음걸이나 당당한 모습만으로도 귀족이 변장한 것이라는 사실을 금방 알 수 있었다.

"어머니, 분명히 피에르 씨예요. 어서 마차를 세워 주세요."

그렇지만 마차를 세울 수가 없었다. 옆에서 달려오는 마차들이 길을 막지 말라고 소리를 질러 댔기 때문이었다.

피에르는 나타샤의 소리를 듣고 다가왔다.

"왜 그런 옷을 입었어요?"

나타샤는 마차 밖으로 손을 내밀며 물었다. 피에르는 나타샤의 손을 잡고 마차의 속도에 맞춰 걸었다.

"그런 건 묻지 말아 주세요."

"그런데 피난은 가지 않을 생각이신가요?"

"네, 모스크바에 남으려고 합니다."

"제가 남자로 태어났더라면 함께 남았을 텐데……. 그러면 멋졌을 거예요."

나타샤는 활기에 찬 표정으로 말했다.

"잘 가요!"

피에르는 마차에서 떨어져 나와 노인이 기다리는 길 쪽으로 돌아갔다. 나타샤는 한참 동안이나 피에르를 바라보고 있었다.

피에르는 아무도 몰래 집을 나온 후, 피난을 떠난 친구의 집에서 이틀을 보냈다. 그리고 그 집 하인 게라심 노인에게 마부가 쓰는 모자와 외투를 부탁했다. 그리고 권총을 사기 위해 마부로 변장하고 밖으로 나왔던 것이다. 그는 모스크바를 지키기 위해 프랑스 군과 싸울 생각이었다.

로스토프 백작의 가족들은 모스크바에서 20킬로미터쯤 떨어진 무이티시치에 머물고 있었다. 가족들과 함께 간 부상자들은 마을의 큰 농가에서 밤을 보내기로 했다.

이웃 농가에서는 손을 다친 부관이 자고 있었다. 그는 밤새도록 몹시 고통스러워하며 신음하고 있었다. 로스토프 백작 부인은 밤새 한잠도 잘 수가 없었다. 그래서 백작 부인은 다른 농가로 옮겨가게 되었다.

그 때, 하인들이 멀리서 솟아오르는 불길을 발견했다.

"분명히 모스크바야!"

"굉장히 큰 불길인데?"

하인들은 오랫동안 불길을 바라보고 있었다.

로스토프 백작의 가족들도 모스크바가 불타고 있다는 사실을 알게 되었다. 백작 부인은 눈물을 터뜨리고 말았다. 나타샤는 아무 말도 하지 않고, 멀리서 들려오는 부상자의 신음 소리에 귀를 기울이고 있었다.

백작은 멍하니 모스크바의 하늘을 바라보았다. 페차 역시 백작의 옆에서 말없이 시뻘건 불길을 바라보았다.

오랜 시간이 흐른 후, 페차는 로스토프 백작에게 말했다.

"아버지, 저는 이만 떠나겠습니다."

"어머니를 만나 보고 가거라."

"안 됩니다. 어머니는 저를 놓아 주지 않을 거예요. 그냥 이대로 떠나겠습니다. 제 걱정은 하지 마세요."

"그래, 알았다. 무리하지 말고, 몸조심해라. 네 형을 본받아서 열심히 싸워라. 그렇지만 너는 아직 어리니까 위험한 곳에는 가지 말도록 해. 되도록이면 빨리 돌아오너라!"

"네, 아버지. 다녀오겠습니다."

페차는 아버지와 작별 인사를 나누고 어둠 속으로 사라졌다.

텅 빈 모스크바

9월 1일 밤, 쿠투조프 장군은 러시아 군에게 명령을 내렸다.

"전 러시아 군은 모스크바를 통과하여 리아잔 가도로 후퇴하라!"

러시아 군은 깊은 밤을 틈타 이동하기 시작했다. 밤중에 움직이기 시작한 부대는 서두르지 않고도 무사히 빠져 나갈 수 있었지만, 새벽 무렵에 움직이기 시작한 부대는 급하게 가지 않으면 안 되었다. 뒤에서는 부대들이 계속 뒤따르고 있었고, 곧 프랑스 군이 들이닥칠 거라는 불안 때문에 침착할 수가 없었던 것이다.

다음 날 오전 10시 무렵에는 거의 대부분의 러시아 군이 모스크바를 빠져 나가고 뒤에 처진 부대만 남게 되었다.

그 때, 나폴레옹은 모스크바가 한눈에 내려다보이는 포클론나야 언덕에 올라가 있었다. 화창한 가을 날씨였다. 언덕 아래로는 아름다운 저택과 시내, 웅장한 교회 등 모스크바의 모든 것이 밝은 햇살을 받아 빛나고 있었다.

'아! 이제 내 소원이 이루어지는구나. 수없이 많은 교회를 가진 성스러운 모스크바가 내 것이 된다! 알렉산드르 황제는 지금 어디에서 무슨 생각을 하고 있을까?'

나폴레옹은 가슴이 벅차올랐다. 그는 말에서 내려 곁에 있던 장군들에게 말했다.

"어서 가서 모스크바의 귀족들을 데려오너라."

장군 한 사람이 수행원과 함께 말을 타고 내려갔다. 두 시간쯤 지난후, 나폴레옹은 식사를 끝내고 다시 언덕 위에 올라가 귀족들이 오기를 기다렸다. 그 귀족들에게 해야 할 말이 머릿속에 하나씩 정리되었다. 그런데 시내로 갔던 장군이 힘없이 되돌아왔다.

"아니, 왜 혼자 오는 것이냐?"

"모스크바는 텅 비어 있습니다. 귀족들뿐 아니라 보통 시민들조차 찾아볼 수가 없습니다."

나폴레옹은 화가 치밀었다. 자신이 무시당하는 것만 같았다. 그는 한쪽 손을 쳐들었다. 그것은 모스크바를 공격하라는 신호였다. 대포 소리가 울리면서 모스크바를 둘러싸고 있던 프랑스 군은 성문을 향하여 돌격했다. 그들은 시내로 몰려들어갔다. 나폴레옹도 군대의 뒤를 따라 도로고밀로프 문까지 들어갔다.

역시 모스크바는 텅 비어 있었다. 나폴레옹은 기운이 빠져 버렸다.

"마차를 돌려라!"

나폴레옹은 마차에 올라 모스크바 시내로 들어가지 않고 도로고밀로프 교외에 있는 숙소로 갔다. 텅 빈 모스크바에 들어가고 싶지 않았던 것이다.

'모스크바가 비어 있다니, 정말 있을 수 없는 일이야!'

오후 3시경, 나폴리 왕 뮤라의 군대가 모스크바에 들어왔다. 뮤라는 아르바트 광장에서 가장 큰 회당 앞에 서서 크렘린 궁에 관한 보고를 기다리고 있었다. 모스크바에 남은 사람들은 깃털과 황금으로 장식한 그를 신기한 듯이 보고 있었다.

그 때, 통역관이 사람들에게 물었다.

"크렘린 궁까지 얼마나 가야 하지?"

그러나 사람들은 폴란드풍의 악센트를 알아듣지 못했다. 답답해진 뮤라는 통역관에게 다가가 명령했다.

"러시아 군은 어디에 있는지 물어 봐!"

그러자 한 러시아 인이 알아듣고 대답했다. 그 때, 프랑스의 장교가 뮤라에게 말했다.

"크렘린 궁의 문은 닫혀 있고, 병사들이 숨어 있는 것 같습니다."

장교의 말을 들은 뮤라는 크렘린 궁의 문을 공격하도록 명령했다.

포병대는 다리 근처에 가서 잠시 멈추었다. 프랑스 장교 몇 명이 포의 배치를 지휘하기도 하고, 망원경으로 크렘린 궁을 지켜보기도 했다. 그런데 그 때, 크렘린 궁에서는 밤기도를 알리는 종소리가 울렸다.

"저건 무슨 소리지?"

"전투를 준비하라는 신호가 아닐까?"

보병 몇 명이 문 쪽으로 달려갔다. 문 안에서는 두 발의 총소리가 울렸다. 포 가까이에 있던 장군이 장교에게 소리쳤다.

"이리 와!"

장교는 부하와 함께 뛰어들어갔다. 곧이어 문 안에서 세 발의 총소리가 울렸다. 그 중 한 발에 프랑스 군이 발을 다쳤고, 동시에 방패막 뒤에서 몇 사람의 고함 소리가 들렸다.

전쟁의 시작이었다.

돌로 된 크렘린 궁을 뒤흔드는 포성이 울리고 이상한 소리가 났다. 까마귀 떼가 성벽 높이 날아올라 까악까악 울어 대면서 원을 그리며 날고 있었다.

그리고 성 안에서 사람의 울부짖는 소리가 들리더니, 연기 속에서 한 사람이 걸어나왔다. 그는 모자도 쓰지 않은 채 긴 윗옷만 입고 있었다. 그는 총을 들고 프랑스 군을 겨냥했다.

"쏘아라!"

포병 장교의 명령에 총소리가 울리고, 다시 짙은 연기만이 남게 되었다.

프랑스 군 보병은 성 안으로 조심스럽게 들어갔다. 그 안에는 부상자 30명과 전사자 세 명만이 쓰러져 있었다. 그리고 긴 윗옷을 입은 사람 둘이 성벽에 바싹 붙어 도망쳤다.

장교는 통나무와 시체를 처치하도록 명령했다. 프랑스 군은 부상자까지도 모두 죽여서 성 밖으로 던져 버렸다.

프랑스 군은 크렘린 궁 안의 광장에 진을 쳤다. 또 다른 부대는 크렘린 궁을 지나 다른 곳에 진을 쳤다. 그러나 모스크바 시내 어디에도 주인이 있는 곳은 없었으므로, 그들은 민가에 들어간 것이 아니라 시내에 천막을 친 것 같았다.

프랑스 군은 배가 몹시 고프고 피곤했지만 질서를 지키며 모스크바로 들어왔다. 그러나 모스크바로 들어온 후, 그들은 질서를 잃어버리고 도둑으로 변하고 말았다.

모스크바에 머문 5주 동안 그들은 이곳 저곳을 다니며 마음껏 약탈하고 불을 질렀다. 모스크바를 떠날 때, 그들의 목적은 정복이 아니라 약탈한 물건을 잃어버리지 않는 것이었다.

모스크바에 남은 사람들은 용감하게 적에게 맞섰다. 그들 중에는 피에르도 끼여 있었다. 모스크바 곳곳에 들어간 프랑스 군은 피에르가 살고 있는 집 근처에까지 들어갔다.

피에르는 권총도 손에 넣고 변장용 윗옷도 준비해 두었지만, 혼자 힘으로는 모스크바를 지킬 수 없다는 것을 깨달았다.

'그래, 나폴레옹을 쏘아 죽이는 거야!'

나폴레옹을 죽여서 평화를 되찾든지, 아니면 자기가 죽든지 하는 것이 자신이 진실한 사람이 되는 것이라고 생각했던 것이다.

피에르는 서재 한가운데 서서 마음을 굳게 먹었다. 그 때, 갑자기 밖이 소란스러웠다. 그리고 가정부와 게라심, 집 주인인 친구의 형 마카르가 서재로 달려들어왔다.

"프랑스 놈이 쳐들어왔어요!"

가정부가 소리쳤다.

"모두 네 놈인데 말을 타고 왔습니다!"

게라심이 잔뜩 쉰 목소리로 외쳤다. 마카르는 출입구를 살피고 있었다. 곧이어 몇 사람의 발소리가 들리더니 프랑스 군 두 명이 서재 안으로 들어왔다. 한 명은 장교, 한 명은 병사로 보였다.

장교는 부상당한 발을 질질 끌며 앞장서서 들어왔다. 그는 문 옆에 있던 병사들에게 명령했다.

"말을 마당 안으로 끌어들여라!"

그리고 그는 빙긋빙긋 웃으면서 말했다.

"안녕하시오!"

그러나 아무도 대답하지 않았다. 그러자 그 프랑스 장교는 게라심에게 말했다.

"당신이 주인입니까? 우리에게 숙소를 빌려 주시오. 우리는 당신들과 싸우려고 온 것이 아니라, 그저 숙소만 빌리려고 온 것이오."

아무 대답이 없자, 다시 장교가 말했다.

"여기 프랑스 어를 할 줄 아는 사람은 없습니까?"

장교는 사람들을 죽 둘러보았다. 그 때 피에르와 눈이 마주쳤다. 피에르는 얼른 문 뒤로 물러섰다. 자신의 계획을 실행하기 위해서는 신분이 드러나서는 안 된다고 생각했기 때문에, 그는 프랑스 어를 입 밖에 내지 않기로 결심했다.

피에르가 옆방으로 피하려고 했을 때, 갑자기 마카르가 뛰어나왔다. 술에 취한 그는 피에르의 권총을 양손에 쥐고 있었다.

"덤벼, 덤비라고!"

그는 점잖고 말이 없던 평소와는 다르게 큰 소리를 치면서 장교를 향해 총을 겨누었다. 장교는 몸을 움츠렸다. 그 순간 피에르는 마카르의 손목을 내리쳤다. 권총은 발사음을 내며 방바닥에 떨어졌고, 온 방 안이 연기로 가득 찼다.

피에르는 권총을 멀리 차 버리고 장교에게 다가가 자신도 모르게 프랑스 어로 물었다.

"괜찮습니까?"

"네, 그런데 저놈은 어떤 놈이오?"

장교는 피에르에게 따지듯이 물었다. 그리고 마카르의 목덜미를 꽉 쥐고 말했다.

"내가 분명히 싸우려고 온 게 아니라고 말하지 않았느냐? 아무리 관대한 프랑스 인이라고 해도 반역자는 용서할 수 없다!"

"제, 제발! 용서해 주십시오. 저 사람은 미치광이입니다. 술에 취해서 그런 짓을 저질렀을 뿐입니다."

피에르는 능숙한 프랑스 어로 말했다.

조용히 피에르의 말을 듣고 있던 장교가 피에르에게 손을 내밀었다.

"내 목숨을 구해 준 당신은 프랑스 인이지요?"

"아닙니다, 나는 러시아 인입니다."

"그럴 리가 없어!"

장교는 피에르를 프랑스 인으로 믿었다.

"당신은 아무래도 프랑스 인이야. 좋아, 당신을 봐서 저놈을 용서하기로 하지. 나는 영광스러운 프랑스 군 대위 랑발이오!"

장교는 자신만만한 표정을 지으며 자신을 소개했다.

피에르는 그를 테이블로 안내하고 의자에 앉혔다. 그리고 가정부에게 식사를 준비시키고, 양고기와 포도주를 가져오게 했다.

"나는 이미 러시아제 식사를 끝냈어요. 납으로 만든 탄환으로 말이오. 바그람 전투에서 당했지요."

랑발 대위는 옆구리를 가리켰다.

"이 얼굴은 스몰렌스크에서 당했고, 발은 보로디노 전투에서 당했지요."

"그래요? 나도 보로디노 전투에는 참가했습니다."

랑발 대위는 전쟁 추억담을 늘어놓기 시작했다. 한참 동안 이야기를 듣고 있던 피에르의 얼굴에 긴장된 모습이 나타났다. 문득 자신의 계획을 떠올렸기 때문이었다.

"저, 나폴레옹 황제께서는 지금 모스크바에 계십니까?"

"아니오, 내일쯤 입성하실 것입니다."

랑발 대위는 엄숙하게 대답했다.

다시 만난 나타샤와 안드레이

모스크바는 계속해서 불타고 있었다. 무이티시치에서 그 모습을 바라보던 로스토프 백작의 가족은 슬픔에 잠겨 있었다.

소냐에게서 안드레이의 소식을 들은 나타샤는 성모상 아래 꿇어앉아 있었다.

'오, 하느님! 그분이 중상을 입었는데, 전 아무것도 모르고 있었습니다. 어떻게 이럴 수가 있습니까?'

나타샤의 가슴은 슬픔과 그리움이 북받쳐올랐다. 그녀는 당장이라도 안드레이에게 달려가고 싶었지만, 밤이 오기만을 기다리고 있었다.

그날 밤, 가족들이 잠들자 나타샤는 조심스럽게 일어났다. 그녀는 신발도 신지 않은 채 소냐가 가르쳐 준 오두막집으로 달려갔다. 안드레이를 만나는 것은 고통스러운 일이었지만, 그렇기 때문에 더욱 만나야만 했다.

오두막집에는 촛불 하나가 켜져 있었다. 안드레이의 옆에는 군의관과 사병 한 명이 잠들어 있었다. 나타샤의 발소리에 사병이 깨어났다.

"무슨 일로 오셨습니까?"

그러나 나타샤는 대답도 하지 않고 재빨리 구석으로 다가갔다. 그 곳에는 담요 위에 누워 있는 안드레이가 있었다. 옛날과 조금도 달라진 것이 없어 보였다. 그러나 앞가슴이 벌어진 셔츠 사이로 보이는 가느다란 목덜미가 전과는 달리 어린아이 같은 순진한 느낌을 주었다.

나타샤는 안드레이의 곁에 무릎을 꿇고 앉았다. 그러자 잠든 줄 알았던 안드레이가 빙그레 웃으며 손을 내밀었다.

"나타샤, 정말 당신이오? 지금 당신 꿈을 꾸고 있었는데……. 아아, 너무나 행복해!"

나타샤는 안드레이의 손을 잡고 그 위에 얼굴을 갖다 댔다.

"안드레이, 저를 용서해 주세요."

나타샤는 안드레이를 바라보며 속삭이듯이 말했다.

"제가 한 짓을 용서하세요. 제발 저를 용서해 주세요!"

나타샤는 더듬더듬 말하며 그의 손에 입을 맞추었다.

"나타샤, 나는 전보다도 더욱더 당신을 사랑해요. 이렇게 와 주어서 정말 고맙소. 나는 단 한순간도 당신을 잊은 적이 없어요."

안드레이는 한쪽 손으로 나타샤의 턱을 들어올리고 그녀의 눈을 바라보며 말했다. 그녀의 눈에서는 감격의 눈물이 흘러내렸다. 그녀는 기쁨과 사랑, 망설임과 동정에 찬 눈으로 안드레이를 바라보았다.

그런데 그 때, 등뒤에서 군의관이 말했다.

"이게 어떻게 된 일입니까? 나가 주십시오, 아가씨."

사병이 군의관을 깨웠던 것이다.

나타샤는 자신을 데리러 온 하녀와 함께 돌아갈 수밖에 없었다. 자기 방으로 돌아온 후 나타샤는 침대에 엎드려 울음을 터뜨렸다.

안드레이는 보로디노 부상자 수용소에 수용된 지 7일 동안이나 의식을 잃고 있었다. 군의관은 그가 생명이 위독하다는 진단을 내렸다. 그러나 그는 의식을 회복하고 빵과 차를 맛있다는 듯 먹기까지 했다.

그는 열이 내리지 않은 채 생각에 잠겨 있다가 나타샤를 떠올렸다.

'그녀를 다시 한 번만 만날 수 있다면 얼마나 좋을까?'

안드레이가 나타샤의 모습을 그리고 있을 때, 문이 열리더니 한 여자가 다가왔다. 그녀가 바로 나타샤였던 것이다.

다음 날부터 피난을 가는 동안 내내 나타샤는 안드레이의 곁을 떠나지 않고 그를 보살폈다.

한편, 늦게 잠에서 깨어난 피에르는 자신의 행동을 후회하고 있었다. 그것은 적인 랑발 대위와 술을 마시고 식사를 함께 한 일이었다. 게다가 머리가 아파서 뒤척이다가 옷을 입은 채로 잠들었기 때문에, 몸이 꽉 죄이는 것 같았다.

11시가 다 되었다. 날씨는 잔뜩 찌푸려 있었다.

피에르는 자신이 해야 할 일이 생각났다. 하지만 전날의 소동 때문에 권총이 눈에 띄지 않았다.

'프랑스 군에게 들어갔겠지……'

그는 총을 미리 챙기지 못한 것을 후회했다.

'그렇다면 단검으로 해야겠다.'

피에르는 권총과 함께 샀던 단검을 조끼 속에 감추었다. 그리고 긴 외투 위에 밴드를 매고 모자를 눌러썼다. 그리고 랑발 대위와 마주치지 않도록 조심하면서 밖으로 나갔다.

밤사이 불은 크게 번져 있었다. 불이 나지 않은 거리에는 대문이나 창문이 모두 닫혀 있었다. 피에르는 그 어느 것에도 정신을 팔지 않고 침착하게 걸어갔다. 그러나 그 때 나폴레옹은 이미 크렘린 궁에 들어가 있었다. 4시간 전에 크렘린 궁에 들어간 나폴레옹은 알렉산드르가 쓰던 거실에 앉아 있었다.

그 사실을 알지 못했던 피에르는, 빠른 걸음으로 포바르스코야 거리까지 걸어갔다.

그 곳에서는 피난을 가던 아르메니아 인 가족이 프랑스 군에게 물건을 빼앗기고 있었다. 프랑스 군은 노인의 구두를 빼앗고, 노인의 딸인

처녀의 목걸이를 빼앗으려 하고 있었다.

"이놈들아! 가만두지 않겠다!"

피에르는 병사의 몸을 들이받아 쓰러뜨렸다. 그러자 옆에 있던 프랑스 군이 단검을 빼들려고 했다. 피에르는 재빨리 그의 다리를 걸어서 넘어뜨리고 주먹으로 마구 때렸다.

그 때, 프랑스 창기병 순찰대가 길모퉁이에서 나타났다. 그들은 피에르와 아르메니아 인 가족을 둘러쌌다.

피에르는 그 후 어떻게 되었는지 기억이 나지 않았다. 5분 후쯤 정신을 차렸을 때는 온몸이 꽁꽁 묶여 있었고, 몸 수색을 당한 후였다.

중위는 피에르에게 물었다.

"프랑스 어를 할 줄 아나?"

피에르는 입을 꼭 다물고 아무 말도 하지 않았다. 곧 통역관이 불려 왔다. 전쟁이 일어나기 전까지 모스크바의 어느 상점에서 일하던 프랑스 인이었다. 그는 피에르를 보자, 대뜸 말했다.

"보통 사람은 아닌 것 같군요."

"그러고 보니 수배 중인 방화범과 비슷하군. 이름과 신분을 물어 보도록 하게."

'내 신분이 드러나면 일이 어려워진다.'

피에르는 그들 앞에 나서서 유창한 프랑스 어로 말했다.

"내가 어떤 신분이라는 것을 너희들에게 알릴 필요는 없다. 지금 나는 너희들의 포로일 뿐이다. 어디로 데려가든지 상관없다."

창기병 중위는 얼굴을 찡그리며 말했다.

"자, 그럼 출발하자!"

순찰대가 움직이기 시작했다. 피에르는 그들 사이에서 당당하게 걸어 갔다. 피에르는 방화 혐의로 감옥에 갇히게 되었다. 그는 엄중한 감시를 받으며 독방에서 지내야만 했다.

피에르가 그런 일을 겪는 동안, 그에게 이혼을 요구했던 엘렌은 갑자기 세상을 떠나고 말았다.

가까워지는 니콜라이와 마리아

니콜라이는 내일의 일을 알 수 없는 전쟁 속에서도 침착하고 차분하게 군인의 임무를 다하고 있었다. 다니던 대학도 그만두고 군대에 들어간 직업군인답게 자신의 의무에 충실했다.

그는 아버지로부터 물려받은 낙천적인 성격과 젊은이다운 패기도 지니고 있었다. 그래서 그는 이 전쟁에 대해서 비관도 절망도 하지 않았다.

'나라의 오늘이니 내일이니 하는 문제는 나 같은 하급 장교가 걱정할 일이 아니다. 그런 것은 높은 분들에게 맡기자.'

이런 생각을 하며 니콜라이는 자신이 맡은 군무에만 전념하고 있었다. 그가 자신의 앞날에 대해 생각한 것은 아주 현실적이고 소박한 것이었다.

'전쟁은 오래 계속될 것이고, 그러다 보면 결원이 생기기도 할 거야. 그러면 머지않아 나도 연대장이 될 수 있다.'

보로디노 전투가 벌어지기 전, 니콜라이는 군마를 보충해 오라는 명령을 받았다. 전투에 나가지 못하는 것이 아쉽기는 했지만, 자신의 영지 가까운 곳에 갈 수 있어서 기쁘기도 했다.

니콜라이는 그 곳에서 지사가 마련한 파티에 초대를 받았다. 지사의 부인은 니콜라이를 잘 알고 있었기 때문에 그를 잘 보살펴 주었다. 니콜라이는 지사 부인 덕분에 상류층 사람들을 소개받아서 무척 즐거운 시간을 보낼 수 있었다.

흥이 오를 무렵, 지사 부인이 니콜라이에게 말했다.

"니콜라이, 당신에게 잘 어울릴 만한 사람을 알고 있어요. 소개해 줄까요?"

"누군데요?"

"볼콘스키 공작의 따님이랍니다. 아주 훌륭한 신부감이에요. 얼굴도 못생기지 않았고요."

"못생기다니요!"

니콜라이가 기분 나쁜 듯이 말했다.

"니콜라이, 난 농담을 하는 게 아니에요. 내 말을 잘 들어요."

"그렇지만……."

니콜라이는 난처한 표정을 지었다.

"왜요? 그게 무슨 뜻이에요? 마리아 양이 싫은가요?"

니콜라이는 망설이다가 자신의 처지를 털어놓았다.

"제가 마리아 양을 좋아하는 건 사실입니다. 그렇지만 그것과 결혼은 다른 문제입니다."

"왜 그렇지요?"

"이미 알고 계시겠지만, 저는 소냐와 결혼을 약속했습니다. 저는 소냐를 사랑합니다."

"어머, 그런 결혼은 당장 그만두세요. 소냐는 당신과 어울리지 않아요. 소냐는 댁의 수양딸인데다가 재산도 없어요. 솔직히 말해서 당신 집안 형편이 말이 아니잖아요. 그런데 당신이 소냐와 결혼한다면 어머니를 죽이는 거나 마찬가지라고요. 만약에 당신이 소냐와 결혼한다면 행복할 거라고 생각해요? 아무것도 가진 것이 없는데 어떻게 생활하려고 하나요?"

"하지만 결혼을 어떻게 재산을 보고 한단 말입니까? 그것은 순수하지 못한 일입니다. 그리고 볼콘스키 공작처럼 재산이 많고 지체 높은 귀족의 따님이 나 같은 사람과 결혼하려고 하겠습니까?"

니콜라이는 몹시 괴로웠다. 사실 그는 마리아와 헤어진 후, 자꾸만 그녀 생각이 났던 것이다. 그러나 그 때마다 소녀의 얼굴이 떠올라서 마리아에게 손을 내밀 수가 없었다.

니콜라이의 마음을 알기라도 하는 것처럼 지사 부인이 말했다.

"니콜라이, 그런 일이라면 신경쓰지 말아요. 모든 걸 나에게 맡겨 줘요. 내가 알아서 추진해 볼게요. 결혼이라는 건 어울리는 사람들끼리 하는 거예요."

지사 부인은 빙그레 웃고 있었다.

한편, 마리아는 니콜라이와 같은 마을에 머물고 있었는데, 그 마을에 사는 이모를 찾아온 것이다. 그녀는 니콜라이와의 사랑이 이루어질 수 없다는 생각으로 괴로워하고 있었다. 간신히 마음의 안정을 되찾았는데, 다시 니콜라이가 같은 마을에 있다는 소식을 듣게 된 것이었다.

지사 부인은 마리아의 이모를 찾아와서 무슨 이야기인가를 하고 돌아갔다. 그리고 이틀 후, 니콜라이가 마리아를 찾아왔다.

그 날은 일요일이었다. 마리아는 기도를 마친 후, 당황하지 않고 니콜라이를 만났다. 니콜라이는 그 어느 때보다도 그녀가 아름답다고 생각했다.

두 사람은 전쟁이나 러시아의 비참한 형편에 대해서 이야기를 나누었다. 니콜라이는 안드레이의 소식을 물으려고 했지만, 마리아는 애써 피하는 눈치였다.

니콜라이는 마리아의 마음을 알아차리고 안드레이의 이야기를 꺼내지

않았다. 그녀의 행동과 말투에서 여성스러운 우아함과 고상함이 묻어나왔다. 니콜라이는 자신의 마음이 마리아에게 점점 기우는 것을 느꼈다. 그와 동시에 소냐에 대한 의리로 몹시 고민하게 되었다.

9월 중순이 되자, 프랑스 군이 모스크바를 점령했다는 소식이 들려왔다. 그리고 마리아는 오빠 안드레이가 중상을 입었다는 소식을 신문을 통해 알게 되었다. 마리아는 오빠를 간호하기 위해서 떠나기로 했다.

그 소식을 듣게 되자, 니콜라이는 갑자기 초조해졌다. 마리아가 없는 곳에서의 생활은 따분할 것이라고 생각한 그는 하루빨리 군대로 돌아가기로 했다. 그래서 부하들에게 군마를 빨리 사들이라고 재촉했다.

'나는 왜 성급하게 소냐와 약속했을까?'

니콜라이의 가슴은 어느 새 마리아에 대한 사랑으로 가득 찼다.

그날 밤, 안드레이는 편지 두 통을 받았다. 그 중 하나는 소냐에게서 온 것이었다.

집안의 재산이 거의 바닥이 났으며, 로스토프 백작 부인이 니콜라이의 결혼 상대로 마리아의 이름을 자주 입에 올리고 있다는 것이었다. 그래서 니콜라이와의 결혼을 단념하기로 결심했다는 내용이었다.

소냐는 이런 말로 편지를 끝맺고 있었다.

저는 이 댁에서 큰 은혜를 입고 자랐습니다. 그런 제가 슬픔이나 불화의 원인이 된다고 생각하니 괴로워서 견딜 수가 없습니다.
저는 제가 사랑하는 사람의 행복을 빌 뿐 그 이상은 바라지 않습니다. 그것이 참다운 사랑이라고 생각합니다……

또 다른 편지는 로스토프 백작 부인에게서 온 것이었다. 가족들이 모두 모스크바를 떠나 피난길에 올랐으며, 안드레이 볼콘스키 공작이 중상을 입고 가족들의 간호를 받고 있다는 것이었다.

다음 날, 니콜라이는 편지를 가지고 마리아를 찾아갔다. 니콜라이에게서 오빠의 소식을 들은 마리아는 무척 고마워했다. 이 일로 인해 두 사람은 한 가족이라도 된 것처럼 가까워졌다.

그 다음 날, 마리아는 오빠를 만나기 위해 길을 떠났다. 니콜라이는 멀리까지 따라가서 그녀를 배웅하고, 며칠 후에는 자신도 부대로 돌아갔다.

독방에 갇혔던 피에르는, 그 후 다른 포로들과 함께 이 수용소에서 저 수용소로 끌려다녔다.

어느 날, 피에르는 신문을 당하기 위해 어느 방으로 끌려갔다. 그 곳에는 코안경을 낀 한 장군이 앉아 있었다. 그는 잔인하기로 악명 높은 다부 장군이었다.

"너는 러시아의 스파이야."

피에르의 마음 깊은 곳에서 반항심이 끓어올랐다.

"아닙니다. 나는 국민군 장교인데, 마지막까지 모스크바에 남아 있었을 뿐입니다."

"이름은?"

"피에르 베즈호프입니다."

"네 말이 거짓이 아니라는 것을 누가 증명할 수 있지?"

"그건……."

그는 곧 랑발 대위를 떠올렸다. 그는 랑발 대위의 이름, 연대, 주소 등을 말했다. 그러나 다부 장군은 차디찬 표정으로 말했다.

"너는 네가 지금 말하는 그런 사람이 아니다. 아무리 봐도 수상해!"

그 때, 부관이 들어와 다부 장군에게 뭐라고 속삭였다. 다부 장군은 곧 외출할 준비를 했다.

부관은 다부 장군에게 물었다.

"이 죄수는 어떻게 할까요?"

다부 장군은 턱짓을 하며 명령했다.

"독방에 처넣어!"

다부 장군은 피에르를 바라보았다. 피에르는 그의 눈에서 지금까지 느껴 보지 못했던 따스함을 느낄 수 있었다. 나라와 인종을 뛰어넘어 사람과 사람으로서 마음이 통한 것이었다.

다음 날, 피에르는 다른 죄수들과 함께 꽤 먼 곳에 있는 수도원의 밭으로 끌려갔다. 그 날은 일요일이었고, 성모 마리아의 날이기도 했다.

그 밭에는 커다란 기둥이 하나 서 있었고, 기둥 저쪽에는 커다란 웅덩이 하나가 파여 있었다. 그 옆에는 십여 명의 프랑스 병사와 장교 몇 명이 줄을 지어 서 있었다.

그것을 보는 순간, 피에르는 한 발 앞으로 다가온 죽음의 그림자를 느낄 수 있었다. 그 곳은 바로 사형 집행장이었던 것이다. 죄수들은 명부에 기록된 번호 순서대로 기둥 옆으로 끌려갔다. 피에르는 여섯 번째였다.

사형 집행의 책임을 맡은 장교가 소리쳤다.

"두 놈씩이다!"

맨 앞에 있던 두 죄수는 눈가리개가 씌워진 채로 기둥에 묶였다. 총을 든 사수가 앞으로 나가더니 기둥에서 여덟 발짝쯤에서 멈추었다.

피에르는 도저히 그 광경을 볼 수 없어서 두 눈을 감고 얼굴을 돌렸다. 곧이어 총소리가 들리고 화약 냄새만이 남았다. 피에르가 얼굴을 들었을 때는 옆에 있던 다섯 번째의 죄수만 끌려가고 있었다.

그리고 얼마 후, 마지막 집행이 끝났다. 살아 남은 사람들은 어리둥절해서 서로의 얼굴만 쳐다보고 있었다.

"방화범이나 약탈범들에게 좋은 본보기를 보여 주는 거야."

옆에 있던 프랑스 병사가 중얼거렸다. 피에르는 다른 죄수들과 떨어져서 수도원의 어두운 교회로 들어갔다. 저녁때가 되자 부하를 거느린 하사관이 와서 피에르에게 말했다.

"당신은 이제 무죄요. 이제부터 포로 수용소로 넘어가게 될 거요."

그제야 피에르는 자신이 죽지 않고 살아났다는 것이 실감났다.

삶과 죽음

마리아 일행은 모스크바를 피해 리베츠크, 리아잔, 블라디미르를 지나 힘겨운 여행을 계속했다. 보로네지 마을을 출발한 지 열흘째 되는 날, 마리아 일행은 로스토프 백작 가족이 머물고 있는 곳에 도착했다.

마리아와 니콜렌카가 마차에서 내리자, 집 입구 계단에 하인 몇 사람과 한 아가씨가 서 있는 것이 보였다. 볼이 발그레한 검은 머리의 아가씨는 바로 소냐였다. 소냐는 어색하게 웃으며 손짓했다.

"여기예요. 여기요!"

마리아와 니콜렌카가 집 안으로 들어가자, 로스토프 백작 부인은 반갑게 그들을 맞아 주었다.

백작 부인은 마리아와 첫인사를 나누기도 전에 니콜렌카를 품에 안아 보기도 하고, 무척 흥분한 목소리로 백작에게 마리아를 소개하기도 했다.

"마리아, 잘 왔어요."

백작 부인은 마리아의 손을 잡고 이런저런 이야기들을 했다. 그러나 마리아는 조금이라도 빨리 오빠를 만나 보고 싶은 마음에 자꾸만 주위를 두리번거렸다.

그 때, 출입구 쪽에서 가볍고 활기찬 발소리가 들렸다. 안드레이를 보살피고 있던 나타샤가, 마리아가 도착했다는 소식을 듣고 달려온 것이었다.

뒤를 돌아본 마리아는 거의 뛰다시피 들어오는 나타샤와 동시에 얼굴이 마주쳤다. 나타샤의 얼굴은 흥분으로 발갛게 물들어 있었다.

'그래, 나타샤야말로 진정한 내 친구야!'

마리아는 나타샤에게 달려가 그녀의 가슴에 얼굴을 묻고 흐느꼈다. 나타샤도 울음을 터뜨렸다. 모스크바에서 만났을 때의 나쁜 인상은 이미 깨끗이 잊어버렸던 것이다.

"저, 오빠의 상태는 어떤가요?"

마리아가 힘겹게 입을 열었다.

"네, 직접 가 보시면 잘 아실 거예요……."

나타샤 역시 겨우 대답했다. 한참을 울먹이던 나타샤는 겨우 정신을 차리고 마리아에게 자세한 이야기를 했다.

안드레이는 트로이차 지방에 있을 때에는 위험한 고비를 넘겼지만, 이 마을에 도착한 이후에는 화농이 생기고 열이 높다는 것이었다. 그렇지만 군의관은 크게 걱정하지 않고 있다고 했다.

"그런데, 그저께부터……."

나타샤는 다시 울음을 터뜨렸다. 마리아는 나타샤의 손을 끌었다. 그제야 나타샤는 마리아를 병실로 안내했다.

안드레이는 베개 몇 개를 주위에 쌓아 놓고, 다람쥐 가죽으로 만든 실내복으로 몸을 감싼 채 소파 위에 누워 있었다. 그는 몹시 여위었고, 얼굴이나 손발에는 핏기가 없었다. 한눈에 보기에도 죽음이 가까웠다는 것을 알 수 있었다.

"마리아, 무사히 왔구나. 이렇게 와 줘서 고맙다."

안드레이는 힘없는 목소리로 말했다.

마리아는 말없이 안드레이의 손을 꼭 잡았다. 그리고 니콜렌카를 데리고 와서 안드레이 앞에 세웠다. 이제 일곱 살이 되는 니콜렌카는 아름다운 눈을 들어 약간 무서운 듯이 아버지를 바라보았다.

안드레이는 아들에게 무슨 말을 해야 할지 알 수 없었다. 그는 그저 말없이 아들에게 키스했을 뿐이었다. 그리고 얼마 후, 하인이 들어와서 니콜렌카를 데리고 밖으로 나갔다.

안드레이는 죽음이 가까이 왔다는 것을 알 수 있었다. 그렇지만 그는 당황하지 않고 죽음을 기다렸다. 그러나 땅 위의 모든 것으로부터 떨어져 있다는 외로움을 느끼고 있었다. 그러면서도 자신의 목숨이 이어지고 있다는 이상하고 편안한 느낌을 동시에 맛보고 있었다.

그는 나타샤와 다시 만나게 된 것에 대해 매우 만족하고 있었다. 이미 그녀와 헤어지긴 했지만, 둘 사이의 사랑이 전보다 더욱더 뜨겁다는 걸 깨달았다. 그래서 그는 나타샤의 사랑을 간직한 채 떠나게 된 것을 큰 행복으로 여기고 있었다.

마리아 일행이 도착한 그날 밤이었다. 서서히 기운을 잃어가던 안드레이는 결국 마리아와 나타샤가 지켜보는 가운데 세상을 떠나고 말았다.

"돌아가셨나 봐요."

마리아가 울먹이는 목소리로 말했다. 나타샤는 가까이 다가가서 안드레이의 눈을 쓸어 감겨 주었다.

러시아 유격대

프랑스 군이 스몰렌스크로 들어오자, 러시아의 곳곳에서 유격대가 편성되기 시작했다. 그 중에는 보병, 포병 사령부를 갖춘 부대도 있었고, 또 기병인 카자흐만으로 구성된 부대도 있었다. 보병과 기병이 혼합된 부대도 있었으며, 농민과 지주로만 구성된 부대도 있었다. 한 달 동안 수백 명의 포로를 잡은 신부가 지휘하는 도당도 있었고, 수백 명의 프랑스 군을 죽인 와시리사라는 시골 노파도 있었다.

유격대장 중 한 명인 제니소프는 프랑스 수송대를 습격하기 위해 준비하고 있었다. 이 일은 제니소프의 유격대 근처에 있던 돌로호프뿐만 아니라 사령부의 장군들에게도 알려졌다. 모두들 이 일에 잔뜩 기대를 걸고 있었던 것이다.

몇몇 장군들이 제니소프에게 편지를 보내서 자신의 부대와 함께 수송대를 습격하자고 했지만, 그는 장군들의 도움은 받고 싶지 않았다. 그는 돌로호프와 함께 수송대를 습격해서, 적은 수만으로 적을 쳐부수려고 계획하였다.

수송대는 미크리노 마을에서 샴세보 마을로 가고 있었다. 미크리노에서 샴세보로 가는 길에는 울창한 숲이 연이어 있었다. 길 가까이에까지 접해 있는 숲도 있었고, 길에서 1킬로미터 이상 떨어진 숲도 있었다.

제니소프는 수송대를 놓치지 않기 위해서 숲 속 깊이 들어가기도 하고, 길가로 나오기도 하면서 대원들을 이끌고 있었다. 그는 수송대를 무사히 샴세보까지 보낸 후, 돌로호프의 유격대와 합쳐서 한꺼번에 수송대를 잡으려는 계획을 가지고 있었다.

그러기 위해서는 적이 어떤 부대로 구성되어 있는지 알아야만 했다. 그래서 제니소프는 부하인 치본을 샴세보에 잠입시키기로 했다.

"치본, 샴세보에 도착하면 먼저 도착해 있는 프랑스 놈을 생포해야 한다. 실수 없이 하도록!"

치본을 보낸 후, 제니소프는 동료 대위와 말을 달렸다. 그는 조금 지쳐 있었다. 돌로호프로부터 아무런 소식도 없었고, 치본도 일찍 돌아오지 않았기 때문이었다.

'수송대를 습격하려면 오늘 같은 날이 좋을 텐데……. 그렇지만 나 혼자 할 수도 없고, 다른 날로 연기하면 다른 유격대가 나보다 먼저 저놈들을 잡을지도 몰라.'

제니소프는 돌로호프의 소식을 기다리며 전방에 온 시선을 집중하고 있었다.

그 때, 누군가가 다가오는 것이 보였다. 앞쪽에는 긴 회초리로 말을 채찍질하며 달리는 장교가 있었고, 뒤에는 카자흐 병사 한 명이 따르고 있었다. 어려 보이는 장교는 제니소프에게 비에 젖은 봉투 하나를 건네주었다.

"장군께서 보내신 것입니다."

제니소프는 장교를 훑어보다가 편지를 읽기 시작했다. 그러다 갑자기 그가 소리쳤다.

"아, 페차! 왜 이름을 대지 않는 거야?"

제니소프는 웃으면서 젊은 장교에게 말했다.

어려 보이는 장교가 바로 페차였던 것이다. 페차는 이 유격대의 대장이 제니소프라는 것을 알고 있었지만, 아는 척하고 싶지 않았다. 서로 아는 사이라고 해서 부끄러운 일을 해서는 안 된다고 생각했기 때문이었다.

그러나 제니소프가 자신을 반갑게 맞아 주자, 페차는 공적인 태도를 버리고 제니소프에게 웃으며 인사했다.

제니소프는 표정이 굳어지더니 카자흐 대위에게 소리쳤다.

"이 편지는 프로이센 사람에게서 온 것이다. 수송대의 습격에 협력하라는 프로이센 장군의 명령이다!"

그리고 제니소프는 덧붙여 말했다.

"만약 우리가 내일 안으로 저놈들을 눌러놓지 않으면 눈앞에서 포로를 빼앗기고 말 것이다."

페차는 제니소프에게 씩씩한 투로 말했다.

"소령님, 무슨 명령을 내리시겠습니까?"

"명령? 음……. 자네는 내일까지 여기 있어도 괜찮겠지?"

"제가 소령님 곁에 있어도 되겠습니까?"

"그런데 자네는 장군의 명령으로 왔으니 바로 돌아가야 하지 않나?"

"제게 다른 명령은 내리지 않으셨으니 여기에 있어도 괜찮을 것 같습니다."

"좋아!"

제니소프는 페차와 카자흐 대위를 데리고 숲 속으로 들어가서 수송대의 야영지를 봐 두려고 했다.

그는 길을 안내하는 농부를 불렀다.

"이봐, 우리를 샴세보로 데리고 가 주게."

밀짚모자를 쓰고 나무껍질 신발을 신은 농부는, 재빠르게 그들을 숲 저편으로 안내했다. 비탈길을 내려오자 농부는 나무가 울창한 곳으로 갔다. 그리고 커다란 나무 아래로 가더니 그들을 불렀다.

제니소프와 페차가 그 곳으로 가 보니, 프랑스의 야영지가 한눈에 보였다. 숲 가까운 곳에 밭이 있었고, 오른쪽으로는 험한 언덕과 작은 마을, 지주의 집이 보였다. 사람들은 바쁘게 움직이고 있었다.

제니소프는 카자흐 대위에게 포로로 잡은 소년을 데리고 오라고 명령했다.

소년이 도착하자, 제니소프는 프랑스 군에 대해 묻기 시작했다. 그렇지만 소년은 자세한 대답은 하지 않은 채, 그저 고개만 끄덕이고 있었다.

제니소프는 나지막한 목소리로 말했다.

"우리는 저놈들을 포로로 잡지 않으면 안 된다."

그러자 카자흐 대위가 말했다.

"장소도 아주 좋군요."

"늪지를 끼고 보병을 배치하라. 그리고 마당으로 연결시켜야 한다. 자네는 카자흐들을 데리고 저쪽으로 가게."

제니소프는 마을 저쪽을 가리켰다.

"나는 경기병들과 이쪽으로 가겠다. 열 발의 총소리를 신호로 하자."

그 때, 늪 가까운 곳에서 열 발의 총소리가 들리면서 연기가 피어올랐다. 그리고 다시 총소리가 요란하게 나면서 언덕 위에 있던 프랑스 군들이 고함을 지르기 시작했다.

제니소프와 카자흐 대위는 자신들이 적들에게 발각되었다고 생각했다. 그러나 그들 때문이 아니었다. 프랑스 군은 연못가에서 도망치고 있는 치본을 향해 소리친 것이었다.

치본은 개천 근처까지 도망쳐 오더니 잽싸게 그 속으로 뛰어들었다. 하얀 물거품이 일면서 치본의 모습이 잠시 보이지 않았는데, 잠시 후 치본은 쉬지도 않고 도망치고 있었다. 그를 쫓던 프랑스 군은 그 자리에 서서 입만 벌리고 있었다.

"저 사람은 누구입니까?"

페차가 물었다.

"그는 우리 카자흐 보병이다. 내가 포로를 잡아 오라고 보냈었지."

제니소프는 짧게 설명했지만, 페차는 그것만으로는 눈앞에서 벌어진 일을 이해할 수 없었다.

치본은 작은 마을의 농부였다. 제니소프가 활동을 시작했을 때, 그는 한 마을의 노인을 불러서 프랑스 사람에 대해 알고 있는지에 대해 물었다. 그러나 그 노인은 아는 것이 전혀 없다고 말했다.

"이 마을에 프랑스 사람이 잠복해 있지 않았소?"

"그 일이라면 치본이라는 사람이 잘 알고 있소."

제니소프는 치본을 불렀다.

"네가 치본이냐? 너는 우리에게 꼭 필요한 사람이다. 아주 훌륭해! 우리 러시아를 위해 싸워 주기 바란다."

그러나 치본은 선뜻 허락하지 않았다.

다음 날, 제니소프는 치본에 대해 까마득히 잊어버리고 마을을 떠났었다. 그런데 치본이 자꾸만 찾아와 함께 일하게 해 달라고 한다는 이야기를 듣게 되었다.

제니소프는 치본을 받아 주었다. 치본은 처음에는 불을 피우고, 물을 긷고, 말가죽을 벗기는 등 온갖 잡일을 했다. 그러던 중 제니소프는 치본이 유격대의 일에 아주 능숙하다는 것을 알게 되었다. 치본은 매일 밤 진지를 떠나 프랑스 군의 옷이나 무기를 가져오는 것이었다. 또 포로를 잡아 오기도 했다.

제니소프는 치본을 정찰대에 넣었다. 그는 말 타는 것을 좋아하지 않아서 늘 걸었는데도 결코 경기병에게 뒤떨어지는 일이 없었다. 늘 어려운 일을 도맡아 하던 치본은 그 날도 밤중에 샴세보에 갔다가 프랑스 군에게 발각되고 말았던 것이다.

제니소프와 페차는 숲 속의 임시 막사로 갔다. 그 근처에 갔을 때, 한 사람이 걸어오는 것이 보였다. 그는 바로 치본이었다.

"어디를 쏘다니다가 오는 거냐?"

"무슨 말씀이십니까? 프랑스 군을 잡으러 갔었는데…….'

"왜 대낮에 돌아다니는 거냐? 프랑스 군은 잡았나?"

"잡기는 잡았는데…….'

"그런데?"

"새벽에 한 놈을 잡았는데, 신통치 못한 놈이었습니다. 그래서 다른 놈을 잡으러 갔다가 그놈들에게 발각되고 말았던 거지요."

"그랬군. 그럼 그놈이라도 잡아오지 그랬느냐?"

"그런 놈은 쓸모도 없습니다."

치본은 머리를 긁적이며 대답했다.

제니소프는 말을 타고 앞장섰다. 치본은 아쉬운 표정을 지으며 그 뒤를 따랐다. 가는 도중 돌로호프로부터 소식이 왔다. 모든 일이 무사히 진행되고 있다는 것이었다. 제니소프는 활기를 띠기 시작했다.

페차는 장교가 된 후, 실전 부대에 들어가 바야지마 전투에 참가하게 되자, 자신이 어른이 되었다는 기쁨에 넘쳤다. 그는 자신의 용기를 보일 수 있는 기회가 있으면 절대 놓치지 않으려고 했다.

장군이 제니소프의 부대에 누군가를 보내야겠다고 했을 때, 페차는 자신을 보내 달라고 애원했다. 장군은 바야지마 전투에서 용감하게 싸웠던 페차의 모습을 떠올리며 페차를 보내기로 했다.

페차는 제니소프에게 말했다.

"숲에서 나올 때만 해도 제 임무만 마치면 돌아가야겠다고 생각했습니다. 그런데 프랑스 군과 치본을 보니 오늘 밤에 전투가 벌어질 것 같습니다.”

페차는 여기까지만 이야기하고 제니소프를 바라보았다. 그의 결심은 점점 굳어졌다.

“그래, 그렇다면 이 곳에 있도록 하여라.”

제니소프는 건성으로 말했다.

얼마 후, 돌로호프가 도착했다. 페차는 돌로호프가 보통 사람과는 비교할 수조차 없는 용기를 가졌으며, 특히 프랑스 사람에게는 잔인하다는 소문을 듣고 있었다.

제니소프는 카자흐 차림의 윗옷을 입고 턱수염을 길렀으며, 성자 니콜라이의 상을 목에 걸고 있었다. 제니소프의 말투나 행동을 유심히 살피면 그가 유격 대장이라는 것을 알 수 있었다.

그러나 돌로호프는 달랐다. 의장대 장교와도 비슷한 모습이었으며, 얼굴은 깨끗하게 면도를 하고, 단춧구멍에는 게오르기 훈장을 달고 머리에는 군모를 똑바로 쓰고 있었다.

제니소프는 그 동안 세운 계획이며 여러 가지 부대의 사정을 이야기했다.

“적의 규모가 얼마나 되는지 알아 두어야 해. 그런 것은 나가 보지 않으면 안 되겠지? 적이 얼마나 되는지도 모르면서 나간다는 것은 무모한 짓이야. 누가 나와 함께 갈 사람 없나? 가서 알아봐야겠어.”

돌로호프는 주위를 둘러보며 말했다. 그러자 페차가 나섰다.

“제가 가겠습니다.”

제니소프는 얼른 페차를 막았다.

“돌로호프, 페차는 안 돼. 나는 절대 페차를 보낼 수 없네.”

“왜 제가 가면 안 됩니까?”

페차는 제니소프에게 대들듯이 말했다. 그리고는 돌로호프에게 말했다.

"대장님, 저를 꼭 데려가 주십시오."

돌로호프는 제니소프에게 말했다.

"카자흐에게 내 짐을 가져오게 해 주게. 프랑스 군복이 두 벌 있거든. 페차, 나와 함께 가겠나?"

"정말입니까? 무, 물론입니다."

페차는 무척 기뻤다. 제니소프는 페차의 앞을 가로막으며 그를 말렸다.

"페차, 앞으로 기회는 얼마든지 있을 거야. 그러니 지금은 위험한 곳에 갈 생각도 하지 말아라."

"소령님, 잘 생각해 보세요. 적의 수를 모른다면 우리 러시아 군 수백 명이 목숨을 잃을지도 몰라요. 그런데 지금이라면 대장님과 저, 두 사람만의 일입니다. 그리고 저는 가게 되어서 무척 기쁩니다. 제발 저를 막지 말아 주세요."

야간 정찰을 나간 페차

페차는 돌로호프와 함께 숲 속의 빈터로 출발했다. 제니소프와 함께 적의 야영지를 내려다보던 곳이었다. 페차는 몹시 흥분해서 돌로호프에게 말했다.

"만약에 적에게 잡히면 저는 살아서 돌아오지 않을 거예요."

"쉿! 러시아 어를 하면 안 돼!"

그 때, 어둠 속에서 소총을 재는 소리가 났다.

"누구냐?"

돌로호프는 침착하게 대답했다.

"제6연대의 창기병이다!"

"암호를 대라!"

"제라르 대령이 여기 계시나?"

돌로호프는 태연하게 말했다.

"암호를 대라!"

"아니, 장교가 순찰하고 있는데 보초 따위가 암호를 묻는 것이냐?"

돌로호프는 화를 내는 척하며 보초에게로 말을 몰아갔다.

"대령이 여기 계시느냐?"

돌로호프는 무슨 말을 하려는 보초를 내버려 두고 언덕길을 올라갔다. 그 곳에서 돌로호프는 검은 그림자 하나를 발견했다.

돌로호프는 그 그림자를 바라보며 연대장과 장교들이 있는 곳을 물었다. 그 그림자는 포대를 메고 있는 군인이었다. 그 군인은 친절하게 자세히 이야기해 주었다.

"연대장님은 저 언덕 오른편에 있는 농장 지주 댁에 계십니다."

돌로호프와 페차는 그 농장을 향해 말을 몰았다.

집 안에서는 사람들이 불을 피워 놓고 이야기를 나누고 있었다. 돌로호프는 태연하게 안으로 들어갔다.

"수고하십니다. 나는 우리 소속 연대를 쫓고 있는데 그만 늦어지고 말았습니다. 제6연대를 아는 분이 계십니까?"

장교들은 퉁명스럽게 모른다고 이야기했다. 돌로호프는 불 곁에 웅크리고 앉아서 장교들에게 물었다.

"여기 있으면 카자흐의 습격을 받을 위험이 어느 정도나 되는 건가?"

"글쎄."

"카자흐가 무서운 건 우리 같은 낙오병들이겠지. 안 그래?"

돌로호프는 페차를 흘긋 본 뒤, 계속해서 이야기를 꺼냈다.

"이 대대는 몇 명이나 됩니까? 모두 몇 대대지요? 포로는 얼마나 됩니까?"

그러나 프랑스 장교들은 아무런 대답도 하지 않았다. 돌로호프는 신경쓰지 않는다는 듯 계속 말했다. 페차는 자신들이 변장한 것이 당장이라도 들킬 것만 같았다.

한참동안 낄낄거리던 돌로호프는 자리에서 일어나 말을 맡겨 둔 군인을 불렀다. 그리고 끝까지 태연하게 인사한 후 밖으로 나왔다.

"자, 그럼 수고하십시오."

페차도 인사를 하고 싶었지만 말이 나오지 않았다. 장교들은 두 사람을 바라보며 수군거리고 있었다.

말을 몰고 나온 돌로호프는 한참 후 페차에게 말했다.

"들리나?"

러시아 군의 소리였다.

"자, 이제 여기서 헤어지자. 제니소프에게 전해라. 날이 밝고 한 발의 총소리가 나면 시작하라고!"

"대장님은 정말 훌륭하십니다. 영웅이에요!"

페차는 그를 꼭 붙들고 놓지 않았다.

얼마 후, 페차는 막사로 돌아왔다. 그 곳에서 제니소프는 불안에 떨며 페차가 돌아오기를 기다리고 있었다.

"아, 페차! 왔구나!"

페차는 적진에서 있었던 일을 모두 이야기했다.

"페차, 수고했다. 자, 아침까지 푹 자도록 해."

"저는 전투하기 전에는 절대 잠들지 않는 습관이 있어요. 그리고 지금 잠들면 전투에 나가지 못할 거예요."

페차의 죽음

유격대는 전투 준비를 서둘렀다. 제니소프는 최후의 명령을 내리면서 막사 옆에 서 있었다. 병사들은 어두컴컴한 가운데 말에 안장을 얹고, 각자의 자리로 갔다.

페차도 말고삐를 쥐고 명령이 내려지기를 기다리고 있었다. 그의 눈은 불처럼 타오르고 있었다.

제니소프가 외쳤다.

"모두들 준비됐나?"

제니소프는 천천히 말에 올랐다. 페차도 말을 타고 제니소프 옆으로 갔다.

"소령님, 저에게도 무엇이든 명령을 내려 주십시오."

"아, 페차?"

제니소프는 페차가 있다는 사실조차도 까맣게 잊고 있었던 것 같았다. 그는 굳은 목소리로 페차에게 말했다.

"페차, 내가 말하는 것을 잘 듣고 함부로 쏘다니면 안 된다. 후방에 남아 있으라고!"

행군하는 동안 제니소프는 페차에게는 아무 말도 하지 않고 묵묵히 말을 몰기만 했다.

숲을 지나자 탁 트인 들판이 나타났다. 제니소프는 옆에 있는 카자흐 대위에게 속삭였다. 그것을 신호로 제니소프는 페차의 옆을 지나갔다. 모든 병사들이 지나간 후, 제니소프는 말을 몰고 언덕 아래로 내려갔다.

페차 역시 제니소프를 따라갔다. 그는 제니소프가 때때로 자신을 보고 있다는 것을 의식하면서도, 자신에게 관심을 갖지 않는 것 같아서 불안했다. 그는 온몸을 부들부들 떨기까지 했다.

주위는 점점 밝아졌다. 아래로 내려온 제니소프는 옆에 있던 카자흐 대위에게 머리를 흔들어 보였다. 그러자 대위는 손을 올려 신호했다. 그와 동시에 한 발의 총소리가 들렸다. 그 순간 전방에서는 말발굽 소리와 총소리와 고함 소리가 들려왔다.

그 소리를 들은 페차는 부들부들 떨면서 말을 두 발로 탁 차고 고삐를 늦추었다. 그러자 페차의 말은 쏜살같이 전방을 향해 달려나갔다.

그 모습을 본 제니소프는 깜짝 놀라 소리쳤다.

"페차, 안 돼! 돌아와!"

그러나 페차는 제니소프의 외침에 귀를 기울이지 않았다. 그는 다리 근처로 말을 몰았다. 다리 위에는 뒤따라온 러시아 군이 달리고 있었고, 전방에는 프랑스 군이 있었다. 페차는 다리 오른쪽에서 왼쪽으로 달렸다. 그 아래에서 한 사람이 쓰러졌다.

페차는 카자흐 병사들이 모여 있는 곳을 향해 달리기 시작했다. 낡은 군복을 입은 러시아 군들이 모자도 없이 몹시 흥분해 있는 프랑스 병사와 싸우고 있었다. 페차가 달려갔을 때는 이미 프랑스 병사가 쓰러진 후였다. 페차가 한 발 늦었던 것이다.

페차는 총소리를 따라 달려갔다. 그 곳은 중사가 된 돌로호프와 자주 갔던 지주의 저택이었다. 프랑스 병사들은 울타리 뒤에 숨어서 문 근처에 있는 러시아 병사들을 향해 총을 겨누고 있었다. 문에 도착한 페차는 사람들에게 외쳤다.

그 때, 돌로호프가 그를 발견했다.

"페차, 어서 돌아가거라. 가서 보병을 기다려라!"

"기다리라니요? 만세! 돌격!"

페차는 큰 소리로 외치며 총소리가 들리는 쪽으로 달렸다. 총소리는 요란해졌다. 러시아 병사들과 돌로호프도 페차의 뒤를 따라갔다. 프랑스 병사들은 정신없이 도망치기 시작했다.

페차는 말 위에 올라탄 채로 뜰 안을 누비고 다녔다. 그러는 동안 그의 몸이 서서히 기울어지더니 땅으로 떨어지고 말았다. 총알이 머리를 관통했던 것이다.

그 때, 프랑스 군 장교가 총 끝에 하얀 수건을 달고 걸어나와서 항복을 표시했다. 돌로호프는 그와의 교섭이 끝난 후에야 말에서 내렸다. 돌로호프는 땅에 떨어져 있는 페차 옆으로 다가갔다.

"페차, 죽었군……."

돌로호프는 한 마디만 남긴 후 문 쪽으로 걸어갔다.

제니소프는 죽어 있는 페차를 보고 슬피 울며 소리를 질렀다. 카자흐 병사들 틈에 있던 돌로호프가 말했다.

"제니소프, 어떻게 할까?"

제니소프는 대답하지 않았다. 그는 그저 파래진 페차의 얼굴을 자기의 얼굴 가까이로 가져갈 뿐이었다.

그는 페차의 얼굴을 보며 입술만 부르르 떨 뿐 아무 말도 하지 못했다.

그 전투에서 러시아 군은 프랑스 군에 잡혀 있던 많은 포로들을 구해 냈다. 그 중에는 피에르도 끼여 있었다. 다른 러시아 포로들은 서로 부둥켜안고 기뻐했지만, 피에르는 그 자리에 털썩 주저앉아 눈물만 흘리고 있었다.

돌로호프는 프랑스 병사들을 포로로 잡았다. 프랑스 병사들은 몹시 흥분해서 큰 소리로 지껄이곤 했지만, 돌로호프가 짧은 채찍으로 장화

를 두들기며 차가운 눈으로 바라보자 금새 조용해졌다. 다른 한쪽에서
는 돌로호프의 부하가 포로의 수를 헤아리고 있었다.

"몇 명이냐?"

"200명 정도 됩니다."

돌로호프는 포로들을 잔인하게 바라보며 말했다.

"씩씩하게 걸어라!"

그것은 프랑스 사람에게서 배운 말투였다.

러시아 군은 마당에 구덩이를 파고 페차의 시체를 운반했다. 제니소
프는 모자를 벗고 어두운 표정을 한 채 그 뒤를 따르고 있었다.

10월 말이 되자, 차차 러시아에 새 희망이 보이기 시작했다. 날씨가
추워지면서 프랑스 군은 얼어 죽기도 하고, 장작불 옆에서 타 죽기도
했던 것이다.

나폴레옹은 크렘린 궁에 머물고 있었다. 그는 병사들의 겨울옷을 준
비하지도 않고, 모스크바 시내에 비축되어 있는 식료품을 관리하지도
않았다. 그저 느긋하게 앉아 자신의 지친 몸을 돌보고 있을 뿐이었다.

나폴레옹을 비롯한 고관들은 털가죽 외투를 따뜻하게 입고, 포장마차
를 타고 모스크바와 바야지마에서 스몰렌스크로 도망치고 말았다.

나폴레옹은 모스크바를 떠나면서 수비대를 남겨 두지 않았다. 그리고
쿠투조프의 군대를 만났을 때도 싸울 엄두조차 내지 못했다.

스몰렌스크에 모여든 그들은 식량을 빼앗으려고 서로를 죽이기도 하
고, 약탈하기도 했다. 이제 그들은 러시아에 온 목적을 잊어버렸다.

그들은 점점 혼란스러워지더니, 마침내는 어려운 일이 닥칠 때마다
동료들을 버리고, 포로를 버리고, 밤을 틈타 도망쳤다.

프랑스 군은 스몰렌스크에서 다시 바르샤바로 도망치고, 또다시 베레

지나 강까지 이르렀다. 그러는 동안 많은 병사들이 희생되었다. 여기에서도 지휘관들은 동료들을 버리고 혼자만 도망쳤다. 도망칠 수 있는 힘이 있는 사람은 도망치고, 그렇지 못한 사람은 항복을 하거나 죽는 사람도 있었다.

이제 그들은 군대가 아니라 미쳐 날뛰는 군중에 지나지 않았다.

다시 찾은 행복

안드레이가 죽은 후, 나타샤는 말이 없어지고 외로움에 빠져 있었다. 다시 만나서 한가족 같은 친밀감을 느꼈던 마리아와도 별로 이야기를 나누지 않았다.

나타샤는 이 세상에 홀로 남은 것 같았다. 그 고독감이 나타샤를 괴롭히고 피곤하게 했다.

그녀는 사람들을 만나 이야기를 나누는 것보다는 혼자 남아 고독을 참는 것이 훨씬 편했다. 그녀의 마음은 온통 안드레이가 옮겨 간 알 수 없는 세계로 가 있었다. 그녀는 죽음의 세계에 대해 깊이 생각한 적이 없었다. 그저 무시무시한 어둠으로 둘러싸인 들판이라고만 생각했었다.

그런데 이제는 그 곳이 거짓과 슬픔과 참담과 고통으로 가득 찬 인생보다는 훨씬 더 살기 좋은 곳이라고 생각되었다.

그러던 어느 날, 페차의 전사 통지서가 날아왔다. 로스토프 백작 부인은 거의 정신을 잃을 지경이었다. 나타샤가 백작 부인의 방에 들어가자,

"나타샤를……. 나타샤를……."

하고 백작 부인이 외치고 있었다.

"거짓말! 모두 나에게 거짓말을 하고 있어! 어서 나타샤를!"

로스토프 백작 부인은 그렇게 소리지르며 눈물을 흘렸다.

"어머니, 나 여기 있어요. 제발 정신 차리세요!"

나타샤는 백작 부인의 곁에서 잠시도 쉬지 않고 속삭였다. 사흘쯤 지나자 백작 부인의 마음도 어느 정도 가라앉았다.

"나타샤, 너는 나를 사랑하지? 제발 사실대로 말해 다오."

백작 부인은 나타샤를 꼭 안고 말했다.

"어머니, 모두 사실이에요. 하지만 니콜라이 오빠가 돌아올 거예요. 우리는 폐차의 몫까지 어머니를 사랑할 거예요. 그러니까 아무 생각 마시고 푹 쉬세요. 아침이 되면 좋은 소식이 올 거예요!"

나타샤는 눈물을 참으며 백작 부인을 위로했다.

마리아는 나타샤가 걱정되어 모스크바로 떠나는 것을 미루고 있었다.

그러던 어느 날, 마리아는 나타샤가 열이 나서 떨고 있는 것을 보았다. 그녀는 급히 나타샤를 자기 방으로 데리고 가서 눕혔다.

"나타샤, 푹 자요. 그러면 나을 거예요."

"나는 잠이 오지 않아요. 그리고 아픈 데도 없는걸요. 마리아, 잠시 동안만 나와 함께 있어 주겠어요?"

"그렇지만 나타샤는 지금 몹시 지쳐 있어요. 그러니까 잠을 자 두는 게 좋을 거예요."

나타샤는 누워서 가만히 마리아의 얼굴을 바라보았다.

'마리아는 안드레이와 닮았을까? 닮은 것 같기도 하고 아닌 것 같기도 해. 마리아는 보통 사람 같지 않아. 이 세상과는 다른 특별한 곳에서 온 것처럼 보여. 마리아는 무슨 생각을 하면서 살까? 훌륭한 생각이겠지만, 도무지 알 수가 없단 말이야. 이 세상을 어떻게 생각하고 있을까? 나에 대해선 어떻게 생각할까?'

나타샤는 마리아의 손을 끌어당겨 붙잡았다. 그리고 수줍은 듯이 말했다.

"마리아, 나를 나쁜 사람이라고 생각하지 말아 주세요. 나는 당신이 무척 좋아요. 진정한 친구가 되어 주세요, 네?"

나타샤는 마리아의 손과 얼굴에 입을 맞추었다. 나타샤는 마리아를 바라보며 고개를 끄덕였다.

그 날 이후, 나타샤와 마리아 사이에는 따뜻하면서도 정열적인 우정이 싹텄다. 아니, 우정보다 더욱 강렬한 감정이었다. 그들은 서로가 없으면 살아갈 수 없다고 생각할 정도였다.

두 사람은 약속이라도 한 듯 안드레이에 대한 이야기는 하지 않았다. 마음속에 간직했던 좋은 기억들을 경솔한 말로써 깨고 싶지 않았던 것이다. 그렇게 지내는 동안 두 사람의 마음속에서는 안드레이에 대한 기억이 지워져 갔다.

3월이 되자, 마리아는 모스크바로 떠났다. 나타샤도 좋은 의사에게 진찰을 받기 위해 마리아와 함께 갔다.

그 사이 크라스노에서는 전투가 있었다. 러시아 군의 완전한 승리였다. 후퇴하는 프랑스 군을 추격해서 포로 2만 6천 명을 잡고, 수백 개의 대포를 빼앗았던 것이다.

러시아를 정복하겠다던 나폴레옹의 꿈은 이미 모스크바에서 깨졌는데, 다시 크라스노에 전투에서 짓밟히고 말았던 것이다.

그 무렵, 피에르는 우크라이나의 오렐이라는 도시에 머물고 있었다. 그는 포로 생활에서 풀려난 후 여행을 떠났다. 오렐에 왔다가 키예프로 가려고 했던 그는 갑자기 병에 걸려서 자리에 눕게 되었다. 담낭염이었는데, 석 달이 걸려서야 겨우 나았다.

건강을 되찾자, 피에르는 자유를 얻은 것 같아 무척 즐거웠다. 그의 옆에는 경박한 아내 엘렌도, 사나운 프랑스 군도 없었던 것이다. 게다가 들리는 소식은 모두 러시아의 승리에 관한 것이었다.

2월에 그는 모스크바로 돌아가, 일부가 타고 남은 저택에 자리를 잡았다. 그는 곧 상트페테르부르크로 갈 생각이었지만, 마리아가 모스크바에 있다는 이야기를 듣고 그녀를 찾아갔다.

볼콘스키 공작의 집은 전쟁을 피해간 듯 예전의 모습을 간직하고 있었다. 하인들이 손님의 방문은 일요일에만 허락된다고 말했지만, 2층 거실에 있던 마리아는 반갑게 피에르를 맞았다.

피에르가 안으로 들어갔을 때, 검은 옷을 입은 여자가 촛불 앞에 앉아 있었다. 그녀는 바로 나타샤였다.

그런데 피에르는 나타샤를 알아보지 못했다. 그 동안 야윈데다가 창백해졌고, 아주 정숙한 여자가 되어 있었던 것이다.

나타샤는 아무 말도 하지 않고 피에르를 바라보다가 생긋 미소를 지었다. 그 순간 피에르의 가슴은 행복으로 가득 찼다.

그는 안드레이와 나타샤의 관계를 떠올리고 곧 어리둥절해졌다.

"나타샤는 우리 집의 손님이에요. 부모님께서도 곧 이 곳으로 오실 거예요. 나타샤는 진찰을 받아야 하기 때문에 저와 먼저 왔답니다."

세 사람은 많은 이야기를 나누었다. 피에르는 마리아로부터 안드레이의 마지막에 대해서 들었다. 나타샤는 그 이야기를 들으며 눈물을 떨구었다. 피에르는 측은한 눈으로 나타샤를 바라보며 말했다.

"안드레이가 마지막에 당신을 만났던 건 무척 행복한 일이었을 거예요."

"네, 저에게도 행복한 일이었어요. 안드레이는 제게 그런 말을 하기도 했어요. 제가 앓아 누워 있는 그분에게 갔을 때 꿈 속에서 저를 기다리고 있었다고요."

나타샤는 얼굴을 붉히며 안드레이와 다시 만났을 때의 일을 자세히 말했다. 피에르는 나타샤를 동정하며 무척 불쌍한 사람이라고 생각했다. 세 사람은 밤이 깊은 줄도 모르고 이야기를 나누었다.

다음 날에도 피에르는 마리아의 집을 찾아왔다. 그리고 밤이 늦도록 이야기를 나누었다. 마리아와 나타샤가, 가 주었으면 하고 눈치를 주어도 피에르는 일어서지 않았다. 나타샤의 곁에 있고 싶었기 때문이었다.

그 때, 마리아는 피에르와 나타샤를 바라보며 무엇인가를 생각하고 있었다.

'이 두 사람 사이에 새로운 행복이 찾아온다면 얼마나 좋을까?'

그녀는 슬쩍 화제를 돌렸다.

"이제 우리 슬픈 이야기는 그만 하고, 즐거운 이야기를 하기로 해요."

그러자 피에르가 말했다.

"좋습니다."

마리아는 얼른 피에르에게 말했다.

"백작님, 혼자 지내시는 게 불편하지 않으세요? 이제 전쟁도 끝나가는데, 새 아내를 맞으시는게 어때요?"

그러자 피에르는 얼굴이 새빨개져서 나타샤를 바라보았다. 나타샤를 바라보지 않으려고 해도 자꾸만 시선이 그쪽으로 향했다. 나타샤 역시 얼굴이 새빨개져서 피에르를 바라보았다.

피에르는 그날 밤, 별로 하고 싶지 않았던 이야기까지 끄집어 내서 지껄였다.

집으로 돌아간 피에르는 좀처럼 잠을 이룰 수가 없었다.

'상상조차 할 수 없는 행복이었지만, 나는 그 행복을 붙잡기 위해 어떤 일이라도 하겠다!'

다음 날, 굳게 결심한 피에르는 마리아의 집을 찾아갔다. 마리아나 나

타샤 모두 피에르의 방문을 반기기는 했지만, 이제 이야깃거리도 다 바닥나고 없었다.

늦은 밤, 피에르는 나타샤와 마리아가 서로 눈짓을 하는 것을 보았다. 그렇지만 쉽게 자리에서 일어날 수가 없었다.

"내일 상트페테르부르크로 떠나시나요?"

마리아가 반쯤 일어서며 물었다.

"아니오. 내일은 떠나지 않습니다."

피에르는 허세를 부리듯 말하다가 갑자기 당황했다. 그 때, 나타샤가 먼저 인사를 하고 자기 방으로 돌아갔다. 그러자 마리아가 다시 자리를 잡고 앉았다.

피에르는 그녀 앞으로 다가가서 자신의 마음을 털어놓았다.

"마리아, 나는 오래 전부터 나타샤를 사랑하고 있습니다. 그런데 지금 저에게는 그녀에게 청혼할 용기가 없습니다. 이대로 가만히 있다가는 그녀와 결혼할 기회를 놓치게 될 것만 같아서 두렵습니다. 제가 어떻게 해야 할까요? 제게 희망이 있을까요?"

피에르의 마음을 이미 알고 있었던 마리아는 미소를 지으며 말했다.

"제게 맡겨 주세요. 나타샤도 백작님을 사랑하고 있는 것 같아요. 아니, 앞으로 틀림없이 백작님을 사랑하게 될 거예요."

"정말 그렇게 생각하세요? 그렇게만 된다면 저는 그 누구도 부럽지 않은 행복한 사람이 될 것입니다."

피에르는 마리아의 손을 덥석 잡았다. 그러자 마리아는 미소를 지으며 말했다.

"내일 상트페테르부르크로 떠나세요. 여기 일은 편지로 알려 드릴게요."

"무엇이든지 시키는 대로 하겠습니다."

피에르는 들뜬 목소리로 대답하고 돌아갔다.

마리아는 나타샤의 방으로 가서 피에르가 내일 떠난다는 소식을 전했다. 그러자 나타샤는 뜻밖이라는 표정으로 눈물을 글썽였다.

'나타샤는 벌써 우리 오빠를 잊은 걸까?'

마리아는 자신도 모르게 한숨을 내쉬었다. 안드레이가 나타샤를 얼마나 사랑했는지를 떠올렸기 때문이었다. 그러나 나타샤를 탓하고 싶지는 않았다.

'그래, 이게 자연스러운 일일 거야.'

마리아는 미소를 머금고 나타샤에게 물었다.

"나타샤, 피에르를 사랑하나요?"

"네……."

나타샤가 속삭이듯이 말했다.

"나는 무엇이든지 마리아가 시키는 대로 할 거예요. 그러니까 내가 어떻게 해야 하는지 가르쳐 주세요. 마리아, 내가 피에르의 아내가 되고, 마리아가 우리 오빠와 결혼하게 된다면 얼마나 좋을까요?"

나타샤는 꿈꾸는 듯한 눈으로 마리아를 바라보았다.

행복한 사람들

1813년, 로스토프 백작의 집안에 마지막 경사가 있었다. 그 일은 바로 피에르와 나타샤의 결혼이었다. 그러나 그 해, 로스토프 백작이 세상을 떠나고 말았다. 그 후, 백작의 집안은 몰락해 버렸다.

러시아 군과 함께 파리에 머물고 있던 니콜라이는 슬픈 소식을 듣고 휴가를 얻어 모스크바로 돌아왔다.

장례를 치르고 집안일을 정리하던 니콜라이는 남은 재산을 알아보고 깜짝 놀랐다. 남에게 진 빚이 자기 집 재산의 두 배였던 것이다.

친척들은 그에게 상속을 포기하고 아버지의 빚을 떠맡지 말라고 했다. 그러나 그는 아버지의 이름을 더럽힐 수 없었다. 니콜라이가 유산과 빚을 물려받자, 빚쟁이들이 몰려들기 시작했다.

니콜라이는 갖가지 방법을 써 보았지만 소용없는 일이었다. 농장은 반값에 경매되었고, 피에르에게 3만 루블을 꾸어 왔지만, 빚을 모두 갚기에는 터무니없이 모자랐다.

그는 빚쟁이들에게 사정하여 조금씩 갚기로 했다. 그래서 그는 월급쟁이 생활을 해야만 했다. 조금 있으면 연대장이 될 수 있었지만, 자기만을 의지하며 매달리는 어머니를 뿌리칠 수는 없었던 것이다.

니콜라이는 겨우 1천 2백 루블의 월급을 받아 생활하는 문관이 되었다. 그리고 어머니와 소냐와 함께 작은 셋집을 얻어 이사를 했다. 그렇지만 백작 부인은 사치스러운 습관을 고치려고 하지 않았다. 그녀가 엉뚱한 곳에 돈을 써 버릴 때마다 니콜라이가 곤란해진다는 것을 그녀는 몰랐다.

니콜라이는 어머니가 가난을 눈치채지 못하도록 애썼다. 소냐 역시 백작 부인의 심술을 참아 내고 있었다. 니콜라이는 그런 소냐가 무척 고마웠지만 그녀에게서는 사랑을 느낄 수 없었다. 소냐 역시 그런 니콜라이의 마음을 알고 그와의 결혼은 아예 단념해 버렸다.

니콜라이는 자신의 형편에 대해서 그 누구에게도 말하지 않았다. 나타샤와 피에르조차도 자세히 알지 못했다.

그 무렵, 영지를 살피러 시골에 갔던 마리아가 모스크바로 돌아왔다. 모스크바에는 니콜라이가 어머니를 위해 자신을 희생한 채 살고 있다는 소문이 퍼져 있었다. 마리아는 그 소문을 듣고,

'역시 그분다운 결정이야.'

라고 생각했다.

그녀는 당장이라도 니콜라이를 찾아가고 싶었지만, 선뜻 결정을 내리지 못하고 있었다. 한참 동안 고민하던 마리아는 마침내 로스토프 백작 댁을 찾아갔다.

그런데 니콜라이는 전과는 다르게 냉정하고 차가운 태도로 그녀를 맞았다. 마리아는 니콜라이가 왜 그런 서먹서먹한 태도를 보이는지 알 수 없었다.

'나는 니콜라이 씨를 보러 온 게 아니라, 내게 따뜻하게 대해 주셨던 백작 부인을 만나러 온 거야.'

마리아는 그렇게 자신을 위로하면서 집으로 돌아갔다. 니콜라이가 자신을 좋아하지 않는다고 생각했던 것이다.

그런데 4, 5일쯤 지나자 니콜라이가 마리아를 찾아왔다. 백작 부인이 매일 마리아를 들먹이면서 니콜라이를 들볶았던 것이다.

니콜렌카의 공부를 봐 주고 있던 마리아가 응접실로 건너가자, 니콜라이는 여전히 냉정한 태도로 대하였다.

그 모습을 본 마리아 역시 처음 보는 사람을 대하듯 서먹서먹한 표정을 짓고 말았다. 그러나 마리아는 니콜라이와 이야기를 나누면서 그의 마음을 조금은 이해할 수 있게 되었다.

두 사람은 같은 귀족이었지만, 마리아는 모스크바에서 손꼽히는 부자였고, 니콜라이는 이제 가난뱅이였다. 그래서 니콜라이는 마리아를 사랑하고 있으면서도 자신과 마리아가 어울리지 않는다고 생각했던 것이다.

마리아는 슬픈 표정으로 니콜라이에게 말했다.

"니콜라이, 왜 그런 태도로 나를 대하시는 거예요? 예전에는 이러지 않으셨는데……. 우리 사이에 우정이 있었던 게 아니었나요?"

"내가 정말 변했는지도 모르지요. 하지만 그럴 수밖에 없는 이유가 있습니다."

"무슨 이유가……."

마리아는 무슨 말을 하려다가 잠시 망설였다.

"나도 그 이유에 대해서는 모르겠어요. 하지만, 그런 당신을 보기가 너무 괴로워요."

마리아는 눈물을 글썽이며 울먹이고 있었다.

"니콜라이, 나는 이제까지 참행복을 모른 채 살았어요. 이제 나를 아껴 주시던 아버지와 오빠도 세상을 떠나고……. 그런 제가 당신을 통해 다시 행복을 찾기 시작하였는데, 그 행복을 잃어버려야만 하다니……."

마리아는 조심스럽게 온 마음을 다하여 니콜라이에게 말했다. 그 말에 얼어붙었던 니콜라이의 마음은 조금씩 녹기 시작했다.

1814년 가을, 니콜라이와 마리아는 결혼을 했다. 니콜라이와 마리아, 백작 부인과 소냐는 볼콘스키 공작 댁의 시골 저택으로 이사를 했다.

니콜라이는 4년 동안 쉬지 않고 일했다. 그래서 그는 마리아에게는 전혀 신세를 지지 않고도 아버지가 남긴 빚을 모두 갚을 수 있었다. 게다가 생각지도 못했던 사촌 누이의 죽음으로 유산을 상속받아서 피에르에게 빌린 돈도 갚을 수 있었다.

다시 3년이 지났을 때는 그 지방의 땅을 사들였다. 그리고 아버지의 빚을 갚느라고 팔았던 자신의 영지까지도 되찾을 수 있었다.

처음에 그는 필요에 의해서 농사일을 하게 되었다. 그러나 얼마 후에는 농사일을 좋아하게 되어, 나중에는 농사일에만 열중하게 되었다.

니콜라이가 하는 일이면 무엇이든 성공했다. 재산은 하루가 다르게 늘었고, 농민들은 지주 니콜라이를 존경하며 열심히 일했다.

"정말 훌륭한 분이야. 항상 우리의 사정을 먼저 생각해 주시고, 그런 다음에야 자신의 일을 돌보시잖아. 그렇다고 해서 우리가 제멋대로 놀게 하지도 않고 말이야. 정말 타고난 주인이셔!"

그의 영지에서 일하는 농민들은 늘 그를 칭찬했다.

소냐는 니콜라이의 가족과 함께 사는 것을 불편하게 생각하지 않았다. 전과 다름없이 백작 부인을 잘 모시고, 안드레이의 아들 니콜렌카도 돌봐 주었다. 또 니콜라이와 마리아 사이에서 태어난 아이들을 무척 귀여워했다. 아이들이 장난을 치고 버릇없게 굴어도 소냐는 잘 받아 주곤 했다. 그녀는 집안의 작은 일이라도 돌보며 모든 사람에게 도움을 주고 싶었던 것이다.

1820년 무렵, 나타샤는 네 아이의 어머니가 되어 있었다. 그녀는 이제 튼튼하고 우람한 체격을 가지게 되었다. 지금의 나타샤를 보면, 보호해 주고 싶던 예전의 모습을 떠올릴 수 없을 정도였다.

나타샤와 피에르는 결혼 후 모스크바나 상트페테르부르크, 영지에 있는 별장, 어머니의 거처를 돌아다니며 살았다.

나타샤는 사교계에는 나가지 않은 채 집안일만을 돌보며 살았다. 태어난 지 석달도 안 된 갓난아기는 그녀의 위안거리가 되어 주었다.

어느 날, 나타샤와 피에르는 아이들과 함께 볼콘스키 공작 댁을 방문했다. 나타샤는 먼저 어머니에게 인사했다.

머리가 하얗게 세었고, 테가 있는 모자를 깊이 눌러쓴 어머니는, 어느 늙은 부인과 트럼프놀이를 하고 있었다. 어머니는 이제 다른 사람과 말

을 나누는 것조차도 귀찮은 눈치였다. 그래서 그런지 말없이도 할 수
있는 트럼프놀이가 그녀의 유일한 즐거움이 되어 있었다.

나타샤와 피에르가 응접실로 들어가자, 아이들의 웃음소리가 옆방에
서 들려왔다.

"참 좋은 음악이군."

피에르는 니콜라이와 마리아에게 말했다.

"저 재잘거리는 아이들의 소리는, 모든 것이 평화롭다는 것을 나에게
알려 주는 거예요. 아까 현관에 들어섰을 때 아이들의 떠드는 소리를
듣고 이 집도 무사하구나, 다들 잘 지내는구나, 하는 것을 느낄 수 있
었어요."

"맞아요, 그 마음 잘 알고 있지요."

니콜라이가 고개를 끄덕이며 대답했다.

잠시 후, 아이들이 나란히 서서,

"안녕히 주무세요!"

하고 인사했다. 그리고 엄마, 아빠에게 키스를 한 후, 가정 교사와 유모
에게 이끌려 침실로 돌아갔다.

마리아는 웃으면서 나타샤에게 말했다.

"나는 요즘 내 일기를 쓰는 대신에 아이들의 행동 기록표를 쓰고 있
어요. 그리고 잠들기 전에 큰아이에게 건네 주지요. 어느 아이가 그
날 행동을 잘했는지 알 수 있도록 말이에요. 이런 건 그이가 싫어할
것 같아서 아무에게도 말하지 않았답니다."

"그래요? 싫어하지 않을 것 같은데요? 나도 그렇게 하고 싶은데 그럴
시간이 없어요. 펜을 들 틈도 없을 만큼 바쁘다니까요."

"그럼 아이들 아버지에게 부탁하는 건 어때요?"

"그럼 그럴까요?"

나타샤와 마리아는 크게 웃으면서 피에르를 쳐다보았다.

잠시 후, 두 부부는 제각기 방으로 들어갔다.

"아까 말했던 행동 기록표를 보여 줘요."

니콜라이가 마리아에게 말했다. 마리아는 얼굴을 붉혔다. 비밀로 하려고 했었는데 남편이 본다는 게 부끄럽기도 하고 즐겁기도 했다.

니콜라이는 한참 동안 행동 기록표를 훑어보았다. 그리고 아내를 가만히 바라보았다.

'정말 훌륭한 여자야!'

그는 다른 세계에서 온 사람을 보기라도 하듯이 놀랍고 신기한 눈으로 그녀를 바라보고 있었다. 그는 아내가 무척 자랑스러웠다. 그리고 그런 아내와 함께 있다는 것이 매우 행복했다.

"니콜라이, 나는 어느 아이에게나 똑같이 예의 범절을 가르칠 거예요. 그런데 니콜렌카에 대해서는 걱정스러운 점이 많아요. 그 애를 위해서는 조금이라도 빨리 사회에 내보내는 것이 좋을지도 모르겠어요."

"나도 그런 생각을 하고 있었소. 올 여름에 상트페테르부르크로 데려다 줍시다."

니콜라이는 마리아를 바라보며 힘찬 목소리로 말했다.

"마리아, 앞으로 10년 후면, 아니 10년까지 안 걸릴지도 몰라요. 우리 아이들에게 굉장한 재산을 남겨 줄 수 있게 될 거예요. 전쟁이 일어나기 전보다 몇 배나 더 되는 로스토프 백작 집안의 재산을 말이에요."

"어머, 정말이에요?"

마리아는 미소를 보였다. 그러나 그 말에 대해서 크게 감동한 것 같

지는 않았다. 그녀는 재산이나 돈을 버는 것에 대해서는 전혀 흥미를 느끼고 있지 않았기 때문이었다.

마리아는 예수 그리스도가 모든 인류를 사랑했던 것처럼 남편과 아이들을 사랑하고 있었다. 그리고 니콜렌카와 이웃 사람들도 사랑하기로 굳게 결심했다.

다른 방에서는 나타샤와 피에르가 이야기를 나누고 있었다.

"피에르, 당신이 상트페테르부르크에서 하는 일을 오빠가 좋아하지 않던가요?"

나타샤가 피에르에게 물었다.

"니콜라이는 나에게 충고하려고 했는지도 모르겠어요. 교화 사업이나 자선 사업을 하는 데 비밀 결사를 조직할 필요는 없다고 하더라고······."

"오빠는 누구나가 인정하는 일이 아니면 쉽게 동의하는 사람이 아니에요. 그것이 오빠의 약점이지요."

"내 사상은 복잡하게 보여도 사실은 아주 간단해요. 나는 착한 일을 하고 싶은 사람들이 모두 힘을 모아서 그 일을 실행할 수 있는 조직을 만들자는 거예요. 만약에 나쁜 짓을 하는 사람들이 모여서 큰 힘을 갖게 된다면, 좋은 일을 하는 사람들이 모여서 그들에게 대항해 나가지 않으면 안 된다고요! 이것이 바로 내 사상이에요. 간단하지요?"

"네, 당신 뜻이 무엇인지 잘 알겠어요."

나타샤는 피에르를 물끄러미 바라보았다. 그녀는 새삼 깨달을 수 있었다. 자신이 얼마나 남편을 사랑하고 존경하고 있는지를······. 그것은 마치 온몸에 전류가 흐르는 듯한 느낌이었다.

'피에르, 당신은 사회에서도 가정에서도 없어서는 안 될 훌륭한 사람이에요. 그런 당신의 아내가 나라는 사실이 너무나 행복해요!'

나타샤는 마음속으로 이렇게 외치고 있었다.

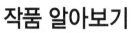

작품 알아보기
(장편문학)

〈**전쟁과 평화**〉는 톨스토이가 5년 여에 걸쳐 심혈을 기울여 쓴 방대한 양의 장편소설로, 19세기 초 전쟁에 휘말린 러시아와 그 속에서 고통스러워하면서도 희망과 사랑을 버리지 않는 사람들의 모습이 생생하게 표현된 작품이다.

오스트리아 전쟁이 시작된 1805년부터 프랑스의 나폴레옹 1세가 러시아를 침입하던 1812년까지가 배경인 이 작품은 주로 니콜라이와 페차를 중심으로 사건이 진행된다.

전 4편과 에필로그로 구성되어 있는데, 전반부에는 중심 인물인 귀족들의 생활과 국외에서의 전투, 후반부에서는 국내에서의 전투와 '어떻게 살 것인가' 하는 사상적 문제가 다루어져 있다.

톨스토이 작품의 밑바탕에는 개인의 무력함을 강조하는 운명론이 깔려 있으며, '검의 영웅' 나폴레옹을 전면적으로 부정하고 그와 대조되는 인물로 등장하는 플라톤 카라타예프라고 하는 한낱 농부에 불과한 사람을 '정신적 영웅' 으로서 찬양한다.

한편, 볼콘스키와 로스토프 양가의 귀족들의 생활을 사실적으로 묘사하고, 그들이 느끼는 슬픔과 기쁨을 이야기하여

작품 알아보기
(장편문학)

유례 없는 가정 소설적인 요소를 첨가시키기도 했다. 이룰 수 없는 사랑에 아파하는 피에르, 복수심에 불타는 안드레이, 생기발랄하고 아름다운 나타샤, 믿음 깊고 마음이 따뜻한 마리아의 모습을 통해 고전으로 읽힐 수 있게 된 것이다. 또한 이 작품의 특징은 처참한 전쟁을 그려 가면서도 의외로 밝은 청춘의 기쁨을 느낄 수 있는데, 이것은 〈전쟁과 평화〉가 구성되고 쓰여졌을 당시, 톨스토이가 신혼 생활을 즐기고 있을 때여서 그의 밝고 긍정적인 마음이 그대로 반영되었기 때문이라고 할 수 있을 것이다.

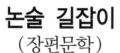

논술 길잡이
(장편문학)

❶ 다음 그림은 나타샤가 피에르에게 "안드레이에게 전해 주세요, 저를 용서해 달라고……." 하며 울먹이는 장면이다. 나타샤가 왜 이러는지에 대해 써 보자.

....

....

....

....

....

논술 길잡이
(장편문학)

❷ 다음 등장 인물들의 말과 행동을 통하여 그들의 성격을 파악해 보고, 그 근거를 찾아 써 보자.

등장 인물	성 격	근거(말이나 행동)
안드레이		
피 에 르		
니콜라이		
볼콘스키 공작		
로스토프 백작		

논술 길잡이
(장편문학)

❸ 다음은 피에르의 마음의 갈등을 묘사한 부분이다. 다음을
읽고 피에르가 이러한 상황에 처하게 된 환경 변화에 대해
써 보자.

'내가 왜 이렇게 변했을까? 내가 원하던 생활은 이런 것이 아니었는
데……. 다시 예전으로 돌아가자. 인류를 위해서 할 수 있는 일을 찾
아야 해.'
'뭐, 어때? 나랑 술을 마시는 사람들도 한때는 순수했을 거야. 인생
을 개척하려고 했겠지. 그렇지만 아무것도 하지 못하고, 나처럼 술이
나 마시며 지내게 되겠지.'

논술 길잡이
(장편문학)

❹ 이 작품의 주요 등장 인물인 나타샤와 마리아의 성격을 비교해 보고, 그들의 장점과 단점을 자기 나름대로 판단해서 써 보자.

	장 점	단 점
나 타 샤		
마 리 아		

논술 길잡이
(장편문학)

❺ 볼콘스키 공작이 안드레이와 나타샤의 결혼을 반대한 이유
가 무엇인지에 대해 본문에서 찾아 써 보자.

....

....

....

....

....

❻ 니콜라이가 군에서 제대한 후, 여전히 마리아를 사랑하면서
도 청혼하지 못한 이유에 대해 써 보자.

....

....

....

....

....

논·술·세·계·대·표·문·학 〈전60권〉

펴 낸 이	정재상
펴 낸 곳	훈민출판사
주 소	경기도 고양시 덕양구 원당동 416번지
대 표 전 화	(031)962-3888
팩 스	(031)962-9998
출 판 등 록	제395-2003-000042호

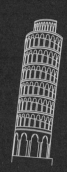